Marie de Hennezel

Titulaire d'un DESS de psychologie clinique et d'un DEA de psychanalyse, Marie de Hennezel a travaillé pendant dix ans dans la première unité de soins palliatifs de France. Depuis, elle anime des conférences et des séminaires de formation à l'accompagnement de la fin de vie, en France comme à l'étranger. Elle a été pendant cinq ans chargée de mission auprès [illegible] Elle est l'auteur de [illegible] conditions de prise [illegible] 1995, Marie de Hennezel [illegible] avec *La mort intime*, [illegible] par François Mitterrand. Elle publiera ensuite *L'art de mourir* (1997), en collaboration avec Jean-Yves Leloup, *Nous ne nous sommes pas dit au revoir* (2000), *Le souci de l'autre* (2004, prix Livres et Droits de l'homme de la Ville de Nancy), *Mourir les yeux ouverts* (2005) et *La chaleur du corps empêche notre corps de rouiller : vieillir sans être vieux* (2008).

NOUS NE NOUS SOMMES PAS DIT AU REVOIR

DU MÊME AUTEUR
CHEZ POCKET

LA MORT INTIME

NOUS NE NOUS SOMMES PAS DIT AU REVOIR

LE SOUCI DE L'AUTRE

MOURIR LES YEUX OUVERTS

OUVRAGE EN COLLABORATION :

L'ART DE MOURIR

avec Jean-yves LELOUP

MARIE DE HENNEZEL

NOUS NE NOUS SOMMES PAS DIT AU REVOIR

La dimension humaine du débat sur l'euthanasie

ROBERT LAFFONT

Le papier de cet ouvrage est composé de fibres naturelles, renouvelables, recyclables et fabriquées à partir de bois provenant de forêts plantées et cultivées durablement pour la fabrication du papier.

ISBN : 978-2-266-10858-4

à Christopher

Avant-propos

À l'heure où deux infirmières attendent d'être jugées aux assises pour assassinats, où le Comité consultatif national d'éthique vient de rendre un avis sur l'euthanasie, où la question des droits des malades est partout débattue, je propose ici une réflexion personnelle, issue de ma propre expérience de psychologue en soins palliatifs, et nourrie de témoignages recueillis au fil des années.

Ce livre n'est pas un ouvrage polémique, c'est la dimension humaine du débat, ses contradictions, ses incertitudes, ses souffrances intimes, que je cherche à explorer ici et à laquelle j'aimerais sensibiliser le lecteur.

Une histoire parmi d'autres

Son récit m'a touchée. Chaque fois qu'on me parle de la question de l'euthanasie, je pense à ce vieux médecin qui n'a pas su ou n'a pas pu faire autrement que de tuer sa femme qu'il aimait infiniment, pour mettre fin à son agonie douloureuse. C'est avec beaucoup de pudeur qu'il a fini par me raconter cette scène qu'il ne veut ni ne peut d'ailleurs effacer de sa mémoire. Si je la rapporte ici, c'est avec son accord et en préservant son anonymat. C'est une histoire qui ressemble à des centaines d'autres histoires gardées secrètes. Elle dit jusqu'où la solitude et le désarroi peuvent conduire un être humain lorsqu'il est témoin de souffrances insupportables. Elle dit jusqu'où un médecin, que sa profession investit d'un pouvoir particulier, peut aller lorsqu'il se sent impuissant à soulager.

Ici, il s'agit de sa femme. Une femme bien-aimée aux côtés de laquelle il a lutté sept ans contre un cancer des os. Bien sûr, la radiothérapie l'avait beaucoup ralenti, ce cancer, mais il avait fini par prendre le dessus. Il y a eu une extension progressive. Elle voulait vivre, parce qu'ils s'aimaient. Aussi s'est-elle battue jusqu'au bout. N'a-t-elle pas accepté une amputation de la jambe pour éviter une gangrène ? Les dernières années ont été terribles. Elle était envahie par les douleurs, y compris par des douleurs de membre fantôme, impossibles à soulager. Il fallait recourir à la morphine en permanence. Mais les traitements n'étaient pas aussi perfectionnés qu'ils le sont aujourd'hui. Malgré l'hospitalisation à domicile, malgré la gentillesse et la compétence des soignants, une grande solitude, un épuisement se sont installés. C'est ce qui arrive quand l'agonie dure longtemps et qu'on est seul à porter l'accompagnement d'un être cher. On finit par souhaiter la fin. On y pense, on l'envisage. Jusqu'au jour où, percevant votre extrême fatigue, votre solitude, une infirmière vous suggère l'euthanasie.

« On ne peut pas la laisser comme ça ! » a fini par dire l'infirmière qui venait tous les jours faire les soins.

Comment une telle proposition, répétée de jour en jour, a-t-elle fini par emporter sa décision ? Il ne le sait plus. Il sait seulement qu'il était trop seul, harassé. Il a décidé alors avec l'infirmière de mettre fin aux jours de sa bien-aimée.

« On a décidé de la date, on a fixé l'heure. C'est moi qui suis allé acheter ce qu'il fallait à la pharmacie, un anesthésiant et du Valium. Je crois que la pharmacienne n'a pas été dupe. C'est l'infirmière qui a fait l'injection pour l'endormir. Elle me l'a proposé d'elle-même, sans doute pour me protéger. Elle m'a dit : "Vous l'aimez, vous ne pouvez pas le faire." Je suis sorti sur la terrasse. Il y avait un fauteuil. Pour m'occuper l'esprit, j'ai ouvert un livre de mathématiques. Quand l'infirmière est venue me rejoindre, elle pleurait. On a parlé un peu. Elle m'a dit que ma femme s'était abandonnée avec confiance, sa main dans la sienne.

« Dans les jours qui ont suivi, c'était facile. Je savais qu'elle ne souffrait plus. La première nuit, j'ai dormi profondément. C'est progressivement ensuite que les choses se sont alourdies. Mais c'était une libération. Le plus important pour moi, c'était qu'il y avait cette douleur qu'on ne savait pas soulager. Je savais que c'était irréversible. Pourquoi la prolonger ?

« Elle avait eu sur elle le nécessaire pour se suicider, mais elle n'avait pas eu le courage de passer à l'acte. Elle m'a demandé de le faire. Je n'aurais pas dû rester dans cette solitude.

« Le moment venu, elle n'a pas su qu'on l'euthanasiait. Cela a été fait à son insu. Je n'ai pas eu le courage de lui en parler. Ça a été le grand silence.

« Pour que j'en sois arrivé là, il a fallu l'accumulation d'une telle souffrance intérieure que le problème moral ne se posait plus. C'est très curieux. Quand je revis les circonstances, je suis prêt à l'assumer. On était toujours sur le qui-vive, les douleurs se réveillaient sans cesse...

« Je n'ai pas revu l'infirmière. J'ai su qu'elle était restée très traumatisée. Moi aussi je suis traumatisé, mais sans regret. Ce qui me console, c'est qu'elle n'a pas eu les affres de l'agonie.

« À l'époque je ne savais pas ce qui se faisait. Je n'ai pas supporté l'idée de la voir filer dans l'inconscience de la morphine. J'avais atteint la limite de ce que je pouvais supporter. J'étais épuisé. Et comme je suis médecin, j'avais en plus ma responsabilité de médecin. En fait, j'ai eu tout sur la patate, la solitude, la solitude du médecin. Je pense que tous les moyens qui existaient à l'époque ont été utilisés. En fait, je ne regrette vraiment pas, et pourtant il y a un poids. Le fait d'avoir prévu le jour m'est insupportable. Le reste, je l'assume. Ce qui a compté aussi, c'est qu'elle n'était pas religieuse. Je n'avais aucun moyen de lui parler d'espérance ou d'un monde meilleur. Elle ne croyait pas.

« Il n'y a que de la douleur et de l'amour dans cette histoire. Comment peut-on légiférer ces choses ?

« Cette confiance de ma femme, quand j'y repense, c'est très violent ce que je ressens. Je résoudrai cela seulement à ma propre mort.

« Je ne peux que vous confirmer la tristesse permanente que j'ai au fond du cœur et qui peut se résumer en quelques mots tout simples : "Je ne lui ai pas dit au revoir", "Nous ne nous sommes pas dit au revoir". La beauté de cette ultime connivence entre deux êtres qui s'aiment, sorte de "point d'orgue" qui s'ouvre sur tout, y compris l'Espérance, nous ne l'avons pas connue. C'est cela qu'il faudra dire. »

C'est cette mort volée que j'aimerais dire. Cette douleur des euthanasies clandestines, qui laisse une *tristesse permanente* au fond du cœur, malgré le soulagement.

Cette histoire date d'une dizaine d'années. Les soins d'accompagnement n'étaient pas encore connus. On mourait souvent mal, dans la solitude, le silence, le désespoir et la douleur. Aujourd'hui, la médecine dispose de moyens considérables pour adoucir les derniers moments de l'être humain et des équipes courageuses ont montré qu'il est possible d'accompagner cette dernière étape de la vie jusqu'au bout, avec humanité. Pourquoi ces soins d'accompagnement ne sont-ils pas plus répandus, plus accessibles ? Pourquoi continue-t-on à penser qu'aider à mourir c'est abréger la vie ? Pourquoi pratique-t-on des euthanasies clandestines, presque toujours à l'insu du malade, et parfois à la demande des familles ? Pourquoi réclame-t-on une loi pour encadrer ces pratiques, alors qu'il faudrait de toute évidence changer les conditions de la mort dans notre pays, et s'efforcer tous ensemble de l'humaniser ?

Notre époque a évacué la mort. Nous avons perdu nos rites et opposons des résistances culturelles. Des choses aussi simples que de veiller un mourant, dans la paix d'une chambre, ont disparu. On n'ose plus prononcer le mot de mort, ni accepter de voir mourir ses proches. Les bien-portants ont du mal à briser le mur du silence qui les sépare de ceux qui font route vers le dernier port. On ne sait pas trouver les mots justes, les gestes apaisants qui pourraient permettre aux mourants de s'en aller plus facilement. Alors, de plus en plus, on meurt loin de chez soi, à l'hôpital. D'ailleurs les logements sont souvent trop exigus pour accueillir un grand malade, les familles sont dispersées et ne jouent plus leur rôle de soutien dans les moments forts de la vie. Quant aux médecins généralistes, ils se dérobent souvent et préfèrent confier la « gestion de la mort » à l'hôpital.

On meurt donc là, dans ce lieu qui relève plus d'une usine à soins que d'un lieu d'accueil. Les médecins et les infirmières y ont été formés à guérir. La mort de leurs patients les laisse démunis. Elle réveille en eux des sentiments d'échec et d'impuissance. Ils sont tentés de poursuivre les traitements pour apaiser leur conscience professionnelle, alors que leurs malades voudraient terminer leurs jours paisiblement, soulagés de leurs douleurs. Ils y sont parfois encouragés par des familles aux abois. Mais arrive un moment où cette souffrance devant une fin que tout le monde pressent, mais dont personne ne peut parler, devient intolérable. Le mourant, ou sa famille, réclame qu'on en finisse. Cette demande signe presque toujours un échec. On n'a pas su arrêter à temps les soins inutiles, instaurer un dialogue confiant où la mort puisse être parlée, veiller à ce que le patient se prépare sereinement et sans douleurs à cette ultime étape de sa vie. Bref, on n'a pas su l'accompagner. Et devant son angoisse, sa solitude, on décide de mettre fin à sa vie, parce qu'on ne sait plus quoi faire. C'est ainsi que l'euthanasie se pratique de manière discrète, camouflée, dans la culpabilité et le désarroi.

Ces morts-là sont-elles humaines ? Est-ce donc la mort que nous souhaitons pour nos proches ou pour nous-mêmes ?

Je reçois tous les jours des lettres qui me désolent. Elles confirment que l'euthanasie se pratique dès que les médecins et les soignants ne sont pas formés à l'accompagnement, là où les soins palliatifs n'ont pas pénétré. Elle se substitue à la compétence médicale, à la compassion, à la solidarité dont les êtres humains ont besoin à l'un des moments les plus difficiles de leur vie.

Une femme, médecin elle-même, m'écrit son tourment. Sa mère mourante a été hospitalisée. Elle lui rend visite tous les soirs. Sa mère se plaint d'être assaillie de douleurs à plusieurs reprises dans la journée, malgré la morphine qu'elle reçoit quatre fois par jour, sans doute en doses insuffisantes. Pensant bien faire, et s'étant formée elle-même aux traitements antalgiques, cette femme suggère à l'infirmière d'augmenter la dose et d'administrer la morphine en continu, pour qu'elle soit soulagée en permanence. Le lendemain, lorsqu'elle arrive pour sa visite quotidienne, elle trouve sa mère dans le coma. Au lieu de lui poser une pompe à morphine, qui aurait permis une diffusion lente et régulière de l'antalgique, on l'a mise sous cocktail lytique [1]. L'infirmière a interprété sa demande comme une demande d'euthanasie. Sa mère est morte sans qu'elles aient pu se dire adieu. Cette mort leur a été volée, par manque de compétence, par défaut de communication, et elle ne s'en remet pas.

Une élève infirmière me raconte qu'elle vient de vivre un véritable drame. En stage dans un service de pneumologie, elle s'est occupée d'une femme en phase terminale d'un cancer du poumon. Cette femme gémissait à longueur de journée, répétant : « Je suis foutue, je suis foutue », sans que personne s'en émeuve. La jeune apprentie infirmière a alerté la surveillante. Puis elle est venue plusieurs fois dans la journée au chevet de cette femme, essayant de l'apaiser, en lui parlant, en lui tenant la main. Le lendemain, l'infirmière de service lui a demandé de poser une perfusion à cette patiente. « On la lyse », lui a-t-elle dit. Sans plus. Une mort sur ordonnance ! Troublée, la jeune élève veut en savoir plus. Pourquoi ? Ne peut-on la soulager autrement ? « Ne discute pas », lui a-t-il été répondu.

Elle m'écrit qu'elle n'oubliera jamais le regard terrifié, les yeux grands ouverts fixés sur elle, tandis qu'elle posait la perfusion en tremblant.

D'autres lettres expriment la révolte devant une

1. Cocktail lytique : mélange d'antalgiques et de psychotropes qui entraîne rapidement la mort.

prolongation inutile de la vie, un acharnement injustifié. Comme ces enfants qui qualifient d'inhumain l'acharnement dont leur mère a été victime. Âgée, le cœur fragile, ayant frôlé la mort plusieurs fois et prête à mourir depuis longtemps, voilà qu'on la réanime après un énième accident cardiaque. Le souvenir de cette vieille femme attachée sur son lit de douleur, ne pouvant plus parler, un masque de souffrance sur le visage alors qu'on aurait pu la laisser mourir en paix, les hante.

Les exemples de morts volées ne manquent pas. Personne n'a envie de terminer sa vie dans d'atroces souffrances, dans l'indifférence générale, ni d'être expédié à son insu dans l'autre monde, ni encore d'être l'objet de soins dont la seule justification est d'apaiser la conscience des médecins. Chacun se souhaite donc une mort humaine. Sommes-nous donc à ce point démunis en termes de réponses humaines que l'euthanasie – si on en croit les médias et divers sondages – nous apparaisse comme l'ultime recours ? Pour se réapproprier sa mort, en être en quelque sorte le sujet, n'y a-t-il pas d'autre voie que de demander à un autre humain de nous la donner ? Pour aider quelqu'un qui va mourir, n'y a-t-il pas d'autres moyens que de le tuer ?

Certains le pensent sans doute puisqu'ils réclament une loi qui légitime et encadre l'euthanasie, comme celles qui ont été votées ailleurs, aux Pays-Bas, en Oregon, en Suisse alémanique. D'autres, au contraire, estiment que l'euthanasie clandestine disparaîtra le jour où l'on saura soulager et accompagner les mourants.

Quatre-vingt-dix pour cent des demandes d'euthanasie disparaîtraient si les malades en fin de vie se sentaient moins seuls et si on les soulageait mieux de leurs souffrances. C'est ce qu'affirment ceux qui pratiquent de « bons » soins palliatifs [1] – c'est-à-dire des soins qui ne se limitent pas au seul traitement de la douleur mais brisent la conspiration du silence et mettent la personne au centre des décisions qui la concernent. Il faut pour cela se mettre à l'écoute du mourant et de sa famille, comprendre la complexité de ce qu'ils vivent. Beaucoup redoutent d'entrer dans une trop grande proximité avec la souffrance. Qui supporte, aujourd'hui, d'entendre quelqu'un parler de son angoisse devant la mort et de sa peur d'affronter les dernières étapes de sa vie, la dégradation physique ou mentale, la perte de son autonomie, le moment des adieux avec ses proches ? C'est en grande partie cette incapacité à dialoguer avec le mourant et sa famille qui conduit certains médecins et soignants à pratiquer l'euthanasie. Être « aidé » est interprété

---

1. Le docteur Yves Camberlein, chef de service de l'unité des soins palliatifs de l'institut Montsouris, affirme qu'il n'a eu que 15 « vraies » demandes d'euthanasie en quinze ans. (Entretien du 7 mai 1999.)

Le docteur Marie-Sylvie Richard, chef de service de la Maison Jeanne-Garnier (80 lits de soins palliatifs), compte sur les doigts d'une main les demandes d'euthanasie qui ont persisté au-delà d'un bon accompagnement en dix ans de carrière.

comme « en finir ». Sans chercher à vérifier quelle est la demande profonde du mourant, on abrège ses jours, parfois même à son insu. On parle alors, à tort, de compassion, quand il s'agit de fuite devant ses responsabilités.

Longtemps taboue, la mort est aujourd'hui l'objet d'une vaste entreprise de désinformation. À coups de sondages, les associations pro-euthanasie nous font croire que la majorité des Français y sont favorables ainsi qu'à une révision de la loi qui, pour le moment, l'interdit. Mais on joue sur l'ambiguïté des mots et l'on entretient la confusion autour de pratiques qui n'ont rien à voir avec l'euthanasie, notamment l'arrêt des traitements ou la prescription d'antalgiques ou de sédatifs pour soulager douleurs et angoisses. Surtout, on nous fait croire qu'il n'y a qu'une seule alternative aux souffrances extrêmes : le geste qui donne délibérément la mort.

Il est temps que les Français sachent qu'ils peuvent mourir, le jour venu, sans souffrances intolérables, entourés d'une équipe médicale respectueuse de leurs droits, prête au dialogue, capable de soutenir et d'entourer leurs proches. Des expériences, certes trop rares, ont montré que c'est possible. Une volonté politique récente s'est exprimée en faveur du développement de ces soins d'accompagnement. Le Parlement a voté à l'unanimité, le 9 juin 1999, une loi sur le droit d'accès pour tous aux soins palliatifs. Il faut maintenant la soutenir sans relâche.

Il restera toujours, malgré tout, un pourcentage

infime de personnes qui voudront décider du moment de leur mort, l'anticiper pour des raisons existentielles. Ce n'est pas tant le respect de cette ultime liberté qui pose question. Dans une société pluraliste et respectueuse des droits de l'homme, on ne peut que reconnaître ce droit-là. Chacun n'est-il pas seul juge de ce qu'il peut supporter ou non ? N'est-ce pas à chacun qu'il appartient de dire si sa vie a un sens et si elle conserve sa dignité ?

Mais imposer à d'autres un acte mortifère ne va pas de soi. De cet aspect, il est rarement question dans les débats sur le droit de choisir sa mort. Qui sommes-nous pour exiger d'autrui un acte dont il supportera toute sa vie les conséquences psychologiques et morales ? On fait comme si médecins, soignants et proches n'attendaient qu'une autorisation légale pour pouvoir « donner », en toute sécurité, l'euthanasie à ceux qui la réclament. C'est sous-estimer la gravité et la portée symbolique d'un acte qui vise à donner la mort. La plupart de ceux qui l'ont commis en savent quelque chose. Mesure-t-on la pression morale exercée sur celui à qui on demande de perpétrer un homicide par compassion ? Mesure-t-on la part d'instrumentalisation de l'autre qu'une telle revendication, aussi compréhensible soit-elle, implique ? Si certains sont prêts à agir par amour, d'autres se verront bientôt, si la loi ne les protège pas, contraints d'agir sous peine d'être accusés de cruauté morale.

Comment respecter ce droit – le droit de choisir sa mort – sans mettre en danger les autres ? La protection de notre sacro-sainte liberté, de notre dignité personnelle, vaut-elle d'ouvrir une brèche dans le mur d'un interdit qui protège les plus faibles des pulsions mortifères de certains ? Faut-il, au nom de la protection de la liberté d'un tout petit nombre [1], mettre en danger les plus vulnérables, ceux qu'on jugera, un jour, indignes de vivre, dont on estimera qu'ils coûtent trop cher, ou qui se sentiront obligés de demander la mort pour ne pas importuner trop longtemps leurs proches ? Faut-il courir le risque de banaliser l'euthanasie, de la voir se substituer peu à peu aux efforts pour développer une culture de l'accompagnement ?

Ceux qui militent en faveur de l'euthanasie assurent qu'en mettant les garde-fous nécessaires on évitera les abus et les dérives redoutées. Il suffit de s'informer sur la pratique de l'euthanasie aux Pays-Bas [2] pour comprendre que bien des craintes sont fondées. La réalité est loin des rapports rassurants que nous fournissent les autorités politiques de ce pays.

Je ne pense pas que la loi, qui est toujours manichéenne, puisse résoudre une question qui porte en elle-même tant de contradictions et de nuances.

---

1. Il s'agit de ceux qui, pour des raisons philosophiques ou existentielles, mûrement réfléchies, refusent de vivre une lente dégradation, un état de dépendance qu'ils estiment indigne et insupportable.

2. Voir notamment le livre d'Herbert Hendin : *Seduced by Death, Doctors, patients and the Dutch Care*, W.W. Norton Company, New York, 1997, amplement commenté dans la suite de ce livre.

Nous pouvons, par contre, travailler à modifier nos comportements et changer notre attitude face à la mort. Nous pouvons réinterroger des notions complexes, souvent perverties, comme l'aide à mourir, la dignité, la souffrance et la compassion. Puisqu'il s'agit de respecter le choix d'une personne de mourir dignement, apprenons d'abord à mieux respecter les droits des malades. Apprenons à parler avec les mourants de leurs craintes et de leurs désirs. N'ayons pas peur de leur faire part de notre sentiment d'impuissance ou d'échec, de nos limites. Montrons-nous tels que nous sommes, des êtres vulnérables et souvent démunis devant leur exigence. Cette honnêteté nous humanise. Elle nous est rarement reprochée par les grands malades. Et puis, cessons ce paternalisme insupportable. Sachons donner la permission de mourir.

Mais, permettre de mourir n'est pas donner la mort. J'aimerais en convaincre le lecteur, comme j'en ai été convaincue moi-même après avoir écouté, pendant dix ans, des malades en fin de vie et leurs familles.

1.

L'iceberg euthanasie

C'est à Louis-Vincent Thomas[1] que nous devons cette métaphore. La question de l'euthanasie est un gigantesque « iceberg ». Le débat ne nous en présente généralement que la pointe visible, suggérant à peine l'immense complexité des problèmes qu'elle soulève, les ambiguïtés et les confusions qui règnent à son propos, dans l'esprit de la plupart de nos contemporains.

Faut-il croire que « l'euthanasie est une solution simple à un problème simple[2] » et qu'il suffit de changer la loi pour que soient respectés la liberté de choisir sa mort et le droit de l'imposer aux autres ? Il suffit d'un geste si simple : pousser une seringue, accélérer une perfusion. Pourquoi en faire toute une « mélodramatisation[3] » ? demande Jacques

1. Louis-Vincent Thomas, « Au-delà de la violence et de la passion », dans la revue *Autrement* de février 1987.
2. Jacques Pohier, *La Mort opportune*, Le Seuil, 1998.
3. Débat télévisé, « À qui appartient la vie ? », sur la chaîne Forum, diffusé le 10 mars 1999, sur le thème « Mourir dans la dignité », animé par Brigitte Milhau et avec : Catherine Finaz,

Pohier, cet ancien dominicain qui se définit également comme un « agent de l'acte euthanasique », et qui assure que l'on peut euthanasier sans aucune culpabilité, sans que cela laisse aucune trace psychologique chez celui qui commet cet acte. Il me semble un peu léger de remplacer le mot « tuer » par cette expression commode et terriblement ambiguë, « aider à mourir ».

Cette apparente légèreté, voire même gaieté avec laquelle il fait la chose, cette absence totale de doute et d'incertitude laissent pour le moins perplexe.

Elles séduisent dès lors qu'on évite de s'aventurer dans les nuances ou les paradoxes d'une question mal maîtrisée. Ainsi, le débat public : « Faut-il ou non légaliser l'euthanasie ? » s'arrête souvent à un survol des positions contradictoires en présence, chacun s'accrochant à ses certitudes, alors qu'il faudrait, comme le suggère la métaphore de l'iceberg, en explorer les couches invisibles et nécessairement plus floues. Seule l'émotion est constamment suscitée à travers témoignages et images-chocs. Rarement, le débat invite à penser.

Il faut distinguer l'euthanasie réclamée par les bien-portants, comme un droit à disposer de sa vie, de l'euthanasie demandée par les mourants ou leur famille en détresse. Il faut réfléchir aux raisons profondes de l'euthanasie clandestine [1], aux notions

Marie de Hennezel, le sénateur Henri Caillavet, Jacques Pohier, les docteurs Dominique Desmichelles et Gilbert Desfosses.

1. Par euthanasie clandestine, j'entends la mort donnée à un malade sans que celui-ci en soit informé.

de liberté, de dignité, de compassion, et se demander enfin si, au lieu ou avant de légiférer, nous ne pourrions pas apprendre à donner la permission de mourir.

Clarifier les mots

Le concept même d'euthanasie est plein de pièges. Quand on évoque le mot, on ne parle pas toujours, ni tous, de la même chose.

Pris dans son sens étymologique de « mort douce et sans souffrance », qui pourrait s'opposer à l'euthanasie ? Tout le monde, en effet, rêve d'une telle mort. Jusqu'à la fin du XIXe siècle, l'euthanasie garde le sens que lui a donné l'inventeur du mot, Francis Bacon, homme d'État et philosophe anglais. On parle alors de « science de l'euthanasie » et les moyens employés sont simples comme l'atteste un texte de 1826 que j'ai découvert grâce à Patrick Verspieren[1] : « aération de la chambre, attention portée à la position du malade dans son lit, présence des proches, abstention de tout recours inutile à la chirurgie et traitements symptomatiques et palliatifs ». On veille le mourant et on se réconforte mutuellement, soutenus par le médecin et le prêtre. Le mot euthanasie recouvre alors ce que nous entendons aujourd'hui par soins palliatifs.

---

1. Patrick Verspieren, *Face à celui qui meurt*, Desclée de Brouwer, 1984.

Mais le sens actuel du mot a changé. Il ne désigne plus les qualités de la mort (douce, belle, bonne) mais l'acte qui consiste à mettre fin délibérément et rapidement à la vie d'une personne atteinte d'une maladie incurable et évolutive. Il signifie donc *tuer*. Cela est clair, puisque l'euthanasie est assimilée à un homicide et qu'elle expose aux poursuites prévues par le Code pénal.

Beaucoup de personnes, pourtant, confondent encore les deux sens. Je me souviens de la confusion que Jacques Monod avait provoquée dans le débat sur l'euthanasie qui avait suivi sa communication au colloque « Biologie et devenir de l'homme » à la Sorbonne en septembre 1974. Tantôt le mot « euthanasie » désignait la lutte contre la souffrance sans distinguer les moyens : traitement de la douleur ou mort provoquée, tantôt « euthanasie » désignait uniquement la suppression de la vie.

Cette confusion existe toujours dans l'esprit du grand public. Elle se complique par l'arrivée d'une troisième définition : la décision de s'abstenir de prolonger la vie d'un malade incurable quand les moyens employés sont sources de souffrance ou d'inconfort.

Alors, que signifie concrètement le mot « euthanasie » aujourd'hui ? L'art d'alléger la souffrance du mourant, la décision d'arrêter des traitements devenus inutiles et dérisoires, ou l'acte de mettre délibérément fin à une vie pour mettre fin à une souffrance ?

Invitée à m'exprimer, je sors souvent

mécontente, frustrée, du débat, avec le sentiment qu'il est faussé. Tous ces mots d'« euthanasie », de « dignité », d'« aide à mourir » sont utilisés dans des sens très différents selon les interlocuteurs. Et cela confère un caractère passionnel aux échanges car, de même qu'il est évident que tout le monde ne peut être que pro-euthanasie, si l'on entend par là le soulagement de la douleur ou l'arrêt thérapeutique, en revanche, si l'euthanasie s'entend comme un acte visant à abréger la vie – ce qui est sa signification réelle –, il suscite chez beaucoup de grandes réserves, sinon un rejet définitif.

Alors, de quoi parle-t-on ?

Arrêter un traitement ou administrer à hautes doses des antalgiques ou des sédatifs dans l'intention de soulager, même au risque d'écourter la vie, ce n'est pas de l'euthanasie. Il faut que cela soit bien clair.

Certains disent que cette distinction est hypocrite, qu'il s'agit d'euthanasie lente. S'il est vrai que, de nos jours, l'intention homicide peut se cacher derrière une prescription banale d'antalgiques ou une sédation massive, cet amalgame n'en reste pas moins faux et dangereux.

Faux, parce que ce qui différencie l'arrêt thérapeutique et les soins palliatifs de l'euthanasie, c'est l'intention. Dans un cas, elle est de permettre la mort et de soulager la souffrance, dans l'autre de mettre délibérément fin à la vie de quelqu'un.

Dangereux, parce que, à force d'amalgames, on finit par jeter le doute dans l'esprit des médecins et des soignants pour qui cette limite entre soins palliatifs et euthanasie reste floue. Les acquis en matière de traitement de la douleur ont été suffisamment longs et difficiles à obtenir sans qu'on aille semer le trouble en brandissant le spectre de l'euthanasie. Aujourd'hui, beaucoup trop d'infirmières encore ont peur de « faire de l'euthanasie » lorsqu'elles posent une seringue de morphine en continu, alors qu'il s'agit d'une technique de soins palliatifs qui ne vise pas à donner la mort, mais à soulager la douleur. D'autres croient « faire du soin palliatif » en doublant, triplant ou quadruplant les doses de morphine, ce qui inévitablement entraîne la mort.

C'est pourquoi la notion d'évaluation de la souffrance du malade est si importante dans la pratique des bons soins palliatifs. Tout comme la discussion éthique qui permet d'établir l'intention qui préside à la prescription. Augmente-t-on la morphine pour soulager une douleur réfractaire ou pour abréger la vie d'un patient angoissé dont la souffrance nous insupporte ?

La même clarification s'impose en ce qui concerne la notion d'« aide à mourir ».

Le dernier sondage national fait par Ipsos pour « La Marche du siècle » et *Le Figaro*[1] pose deux questions aux Français :

« Si vous étiez atteint d'une maladie incurable et

1. Sondage Ipsos de septembre 1998.

en proie à des souffrances extrêmes, demanderiez-vous que l'on vous aide à mourir ? »

« Si l'un de vos proches était atteint d'une maladie incurable et en proie à des souffrances extrêmes, décideriez-vous de l'aider à mourir ? »

79 % des Français ont répondu positivement à la première question, 61 % positivement à la seconde.

Ces chiffres ne signifient pas pour autant qu'une majorité de Français soit favorable à l'euthanasie. Que veut dire « aider à mourir » ? Est-ce un soulagement de la douleur, une aide psychologique ou spirituelle, un environnement paisible que les Français souhaitent, ou bien une aide active à mourir, c'est-à-dire un geste qui tue ?

Les sondages jouent sur l'ambiguïté des mots. Qui fait pression pour maintenir cette ambiguïté ? J'ai trop l'habitude des débats publics et télévisés sur le sujet pour ignorer que cette confusion sert les partisans d'une loi en faveur de l'euthanasie. N'est-il pas un peu facile de poser la question dans ces termes ?

Comme la majorité des Français, j'aurais répondu « oui » à ces deux questions. Je n'envisage pas d'être privée d'aide ni d'en priver mes proches. Mais je n'envisage pas non plus l'« aide à mourir » comme un acte d'euthanasie. J'ai participé pendant dix ans à l'accompagnement de personnes incurables, souvent en proie à des souffrances très grandes. Je sais ce qu'aider veut dire. Je sais qu'on peut « aider » sans tuer.

Il est donc important de préciser les mots, car on

joue constamment sur leur sens. Une bonne médecine palliative sait arrêter les traitements quand il faut. Elle sait utiliser des sédatifs quand les symptômes sont insupportables pour la personne et les moyens de les traiter insuffisants. Elle s'adapte au patient, en équipe, avec l'avis de la famille, de façon transparente, pour que soient prises les bonnes décisions. Aider à mourir, ce n'est pas provoquer la mort.

Tuer, voilà le mot qui fait peur. Ceux qui militent pour l'euthanasie font tout pour ne pas l'utiliser. D'ailleurs le mot « euthanasie » lui-même est un mot redoutable. N'est-ce pas la raison pour laquelle les sondages l'évitent généralement ?

Bernard Kouchner, comme d'autres, n'hésite pas à dire qu'il le trouve laid et froid. N'oublions pas qu'il a servi à désigner les programmes d'élimination par l'Allemagne nazie de certains humains jugés « indignes de vivre ». On ne devrait plus, selon lui, utiliser ce mot pollué.

En revanche, Jacques Pohier, responsable de l'ADMD [1], et auteur d'un ouvrage récent qui exalte le suicide assisté [2], trouve que le mot est beau puisqu'il signifie « bonne mort, douce et sans souffrance ». Il se refuse à faire cadeau aux nazis d'un mot qu'ils ont employé à contresens.

Quoi qu'il en dise, le mot est définitivement abîmé. Il évoque les exécutions du petit matin, les

1. Association pour le droit à mourir dans la dignité.
2. Jacques Pohier, *La Mort opportune*, *op. cit.*

cocktails lytiques posés à la sauvette, les seringues qu'on pousse la peur au ventre dans un moment de panique, les assassinats froidement décidés le vendredi par un chef de service qui n'a plus rien à offrir à un patient et qui a besoin d'un lit pour le lundi suivant. C'est un mot plein de dangers, de menaces cachées, qui renvoie à des peurs obscures, de sourdes angoisses, des pratiques inavouées, secrètes, des hontes intérieures, des culpabilités éternelles.

Même si certains essaient de le maquiller, de lui rendre une certaine beauté, en le drapant de dignité et de compassion, le mot reste synonyme de flou moral. Il continue à diffuser un malaise.

On a donc cherché à le remplacer par une autre expression qui prête, elle aussi, à confusion. On parle de « mourir dans la dignité ».

Le 17 novembre 1979, l'écrivain Michel Landa, atteint d'un cancer du poumon, écrivait dans le journal *Le Monde* : « Le droit de mourir dignement, dans la lucidité, la tendresse, sans autres affres que celles inhérentes à la séparation et au glissement hors de cette forme de vie, ce droit devient un impératif évident dès lors que la vie peut être prolongée jusqu'au dernier délabrement – et même au-delà. »

« Mourir dans la dignité » est devenu le cri de ralliement de ceux et celles qui s'opposent à la prolongation inutile et dégradante de la vie, mais c'est une expression qui n'a pas le même sens, sur le plan éthique, selon qu'elle désigne le droit de choisir le moment de sa mort, ou le droit de mourir tranquille, en recevant les soins de fin de vie nécessaires. Écoutez cette histoire :

Laurence est arrivée dans le service sur ses deux pieds. Elle a vu un reportage à la télévision sur ce service de pointe, où l'on peut venir mourir « dans la dignité ». C'est exactement ce qu'elle veut. Elle est atteinte d'un cancer du sein généralisé. Ses poumons sont bourrés de métastases. On ne lui donne plus que quelques semaines, peut-être quelques mois à vivre. Tout cela, elle le sait. C'est une femme lucide et courageuse. Elle a gardé pour elle toutes ses tracasseries. La preuve, ses enfants viennent tout juste d'apprendre qu'elle est si malade. Elle ne voulait pas les embêter avec cela. Maintenant, elle veut mourir aussi dignement qu'elle a vécu sa maladie.

Elle s'est donc couchée, en arrivant dans sa chambre. Et la voilà, bien coiffée, les draps blancs bien tirés, attendant tranquillement le médecin. Ce dernier s'est donc assis à son chevet. Il vient procéder à l'entretien d'accueil, avec l'infirmière qui s'est installée de l'autre côté du lit.

– Docteur, est-ce que vous faites l'euthanasie ? demande-t-elle.

– Pourquoi me posez-vous cette question ? lui répond-il.

– Parce que je veux mourir dans la dignité !

Comme le médecin lui demande de préciser ce

qu'elle entend par « mourir dans la dignité », elle énumère ses désiderata :

– D'abord je ne veux pas souffrir, n'est-ce pas ? Je ne veux pas mourir étouffée. Je ne veux pas non plus mourir avec des tas de tuyaux partout. Non ! Je veux mourir comme je suis maintenant, les bras libres, sereinement, c'est pour ça que je demande l'euthanasie, docteur !

– Vous voulez mourir là, tout de suite ? Maintenant ? demande le médecin.

– Non ! Quand je commencerai à avoir mal, à étouffer.

– Voilà ce que je vous propose de faire : on va commencer par de toutes petites doses de morphine, qu'on augmentera si ce n'est pas suffisant. Ainsi, si les douleurs arrivent, elles seront immédiatement soulagées et j'adapterai les doses au fur et à mesure, pour que vous ne souffriez pas. Pour le moment, vous ne risquez pas d'étouffer, et il y a de grandes chances pour que vous vous éteigniez comme une petite bougie, tranquillement. Mais s'il y a le moindre risque que cela arrive, je prescrirai un protocole qui sera prêt, en permanence, dans votre chambre. À la moindre alerte, une infirmière vous endormira pour que vous ne souffriez pas.

– Vous ne ferez rien pour me prolonger ?

– Non, je vous le promets.

Laurence a l'air satisfaite de cette proposition, mais une inquiétude demeure :

– Docteur, je ne veux pas que ça traîne. Je suis

prête à mourir, mais je ne veux pas agoniser pendant des jours et des jours.

– Au point où vous en êtes, ça m'étonnerait beaucoup que cela traîne, comme vous dites. Avez-vous fait vos adieux à vos enfants ?

Laurence raconte alors qu'elle a demandé à ses enfants de ne pas venir trop souvent la voir. Elle ne veut pas qu'ils désorganisent leur vie pour elle. Elle leur a interdit de venir plus d'une fois par semaine. Et puis, elle ne veut pas qu'ils la voient se dégrader. C'est pour cela qu'elle voudrait mourir vite, tant qu'elle est encore « présentable ».

– Voyez-vous, lui dit le médecin, vous serez tout à fait prête à mourir quand vous aurez dit adieu à chaque enfant, et quand chacun aura pu vous dire tout ce qu'il a besoin de vous dire. C'est pourquoi, si vous voulez mourir vite, je vous conseille de les laisser venir quand ils le sentent.

Laurence n'a plus parlé d'euthanasie. Au bout de quelques jours, elle s'est sentie en confiance. Les soins étaient toujours faits avec son accord, ses douleurs étaient bien soulagées. On respectait son rythme, son besoin de solitude. Ses enfants l'ont accompagnée, comme elle le souhaitait, sans s'imposer, sans venir trop souvent. Elle est morte, comme le médecin l'avait annoncé, très tranquillement, sans étouffer. Au bout de trois semaines seulement.

L'exemple de Laurence incite à manier avec prudence ce concept de « mort digne », si répandu par ailleurs dans le grand public. Au seuil de la mort, quand un médecin s'est engagé auprès de vous à ne pas vous prolonger, à faire tout son possible pour soulager d'éventuelles douleurs et éviter les affres d'une agonie pénible, quand vous sentez qu'on ne vous abandonnera pas, votre vœu de « mourir dans la dignité » est presque toujours satisfait.

J'ai rencontré ces dernières années bien des personnes qui ont fait la démarche d'adhérer à l'ADMD. Contrairement à ce que l'on pourrait croire, elles ne sont pas toutes, loin de là, partisanes de l'euthanasie. Par contre, elles ont réfléchi à leur mort et aux conditions dans lesquelles elles aimeraient mourir. Sans acharnement thérapeutique, sans douleurs excessives, dans un environnement qui tienne compte de leurs besoins et les traite en personnes à part entière. Elles souhaitent être informées de l'évolution de leur maladie, du pronostic, discuter avec les médecins des thérapeutiques proposées, elles aimeraient conserver le plus longtemps possible leur autonomie, même si celle-ci ne peut plus s'exercer que sur de petites choses comme d'exprimer son besoin de dormir, ou de rester seul, ou au contraire d'avoir à leur côté une présence. Elles veulent, lorsqu'elles sentiront la mort venir, qu'on respecte leur désir de mourir, qu'on leur donne cette permission et, si la mort tarde trop, qu'on les aide à se détendre, à lâcher prise.

Pour le plus grand nombre, mourir dignement,

c'est mourir sans souffrance et accompagné avec respect. Mais, pour quelques-uns, cet engagement n'est pas suffisant. La dignité ne concerne plus la manière d'être soigné par les autres. Elle est alors synonyme de refus de vivre un état de dépendance ou de dégradation physique. « Mourir dignement » signifie maîtriser son destin, décider du moment de sa mort, et l'imposer aux autres.

Qui demande quoi ?

On ne peut pas réfléchir à l'euthanasie sans partir de la réalité clinique. La réalité du terrain. Celle-ci devrait être au centre du débat, les arguments philosophiques et éthiques venant seulement s'articuler autour d'elle. Je propose donc de partir des situations cliniques, celles que j'ai rencontrées personnellement ou celles que l'on m'a rapportées. On peut en distinguer trois :

– la mort donnée – avant son heure – à un patient qui ne l'a pas demandée, par un médecin, un soignant ou encore un proche qui ne supportent plus de le voir souffrir sans pouvoir le soulager : c'est ce que j'appellerai ici « la mort volée » ;

– la mort demandée par un patient qui n'en peut plus et souhaite en finir, parce qu'il souffre physiquement et psychiquement. C'est un appel au secours qu'il faut savoir déchiffrer. Une ultime tentative de communication ;

– la mort exigée comme un droit par un patient

qui veut mourir dignement, c'est-à-dire en pleine possession de ses moyens et maître de lui-même. La demande est lucide, rationnelle, et le patient la maintient, malgré les alternatives qui lui sont proposées.

2.

La mort volée

La mort volée, c'est la mort donnée à l'insu du mourant. L'agonie se prolonge, parfois difficilement. L'angoisse, la dégradation de cet homme, ou de cette femme, sont mal supportées par ses proches ou par les soignants qui veulent « accélérer la fin », alors que le patient, lui, n'a rien demandé. Il se peut qu'en dépit de ses souffrances il désire poursuivre son existence jusqu'au bout, ou bien peut-être n'est-il plus assez conscient pour communiquer.

La mort volée, c'est la mort donnée parce qu'on ne supporte plus de voir souffrir, parce qu'on ne sait pas comment soulager autrement ; mais parfois aussi, c'est la mort donnée pour se débarrasser d'un patient difficile ou pour libérer un lit.

« Il ne faut pas se voiler la face, l'euthanasie est aujourd'hui largement répandue. Elle s'opère de façon très diverse selon les endroits. Ici, c'est le médecin qui prend la responsabilité ; là – cela semble être le cas le plus fréquent –, il se défausse sur l'infirmière. Dans tous les cas, c'est l'arbitraire le plus total[1]. »

Henri Caillavet[2] estime entre 1 400 et 1 700 par an le nombre d'euthanasies clandestines. À la suite d'un fait divers de l'été 1998[3], la presse s'est fait l'écho d'un certain nombre de témoignages de médecins et d'infirmières. Un des plus marquants vient d'une femme médecin qui a travaillé deux ans dans un centre de traitement anticancéreux de la région parisienne et qui confie à *La Croix*[4] la lettre qu'elle projette d'envoyer à la direction avant de quitter le centre : « L'euthanasie reste un acte courant dans votre établissement. Elle se fait le plus souvent par cocktail lytique, mais aussi en recourant aux cocktails antalgiques lourds dits euthanasiants, ou encore, comme je l'ai vu dans un cas de coma dépassé, par l'emploi de barbituriques et curare. Cet acte est aggravé par les circonstances dans lesquelles il se pratique : presque toujours à l'insu du malade, même lorsque celui-ci est en état d'avoir une volonté et de la faire connaître, souvent à l'insu de sa famille, ou ce qui n'est pas mieux à la demande de celle-ci, décision individuelle d'un

---

1. Enquête de Marianne Gomez, *La Croix*, 28 juillet 1998.
2. Henri Caillavet, ancien ministre, sénateur, président de l'Association pour le droit de mourir dans la dignité. Entretien du 25 mars 1999.
3. Fin juillet 1998, la presse révèle un fait divers : une infirmière, Christine Malèvre, est mise en examen pour avoir aidé à mourir un certain nombre de patients dans un service de pneumologie de l'hôpital de Mantes-la-Jolie.
4. *La Croix*, *op. cit.*

médecin et non après mûre réflexion collective de l'équipe... L'exécution, elle, est déléguée aux infirmières, dont j'ai pu constater le profond désarroi. »

Mme Wouters, infirmière, vice-présidente de l'Association européenne des soins palliatifs, dénonce elle aussi ces pratiques clandestines : « À plusieurs reprises, j'ai assisté, en compagnie de jeunes stagiaires, à la mort de patients qui n'avaient rien demandé et qui, au contraire, m'avaient exprimé le souhait de vivre. J'ai beaucoup réfléchi et j'ai interrogé de nombreuses personnes. J'ai renoncé à faire des déclarations. Je me suis adressée à la direction de l'institut afin de mettre le débat sur le tapis. J'ai essuyé une fin de non-recevoir. On m'a indiqué que, dans cet institut, la déontologie était différente et que les infirmières devaient y obéir sans discuter [1]. »

L'euthanasie se pratique bel et bien, et les infirmières n'ont pas toujours la liberté de la dénoncer.

Alors, pourquoi l'euthanasie clandestine ?

L'hôpital n'est pas le lieu pour mourir

« Il convient de resituer la question de l'euthanasie dans son contexte. Naguère, on mourait chez soi, entouré de sa famille et au milieu des objets, des meubles, des photos et des souvenirs qui racontaient l'histoire d'une vie et en maintenaient la

1. Compte rendu des débats au Sénat belge, en automne 1998.

présence jusqu'au dernier jour. [...] De nos jours, on meurt rarement à la maison, mais dans les hôpitaux, lieux impersonnels et aseptisés, dotés d'une technologie complexe qui permet le prolongement de l'existence biologique des mourants, [...] parfois au-delà du point où ils auraient pu être conscients de leur mort et maîtres des derniers moments de leur vie [1]. »

Tout est dit dans ces quelques lignes écrites par deux éthiciens, le Canadien David Roy et le Suisse Charles-Henri Rapin [2]. Les conditions de la mort ont changé. Nous sommes nombreux aujourd'hui à redouter cette mort à l'hôpital, avec le risque d'anonymat, de solitude et de désappropriation propre à ce lieu.

On le sait, sept personnes sur dix meurent aujourd'hui dans un établissement médicalisé. L'hôpital se voit donc confier une mission sociale : celle d'accompagner les mourants. Ce qui était autrefois la tâche sacrée des familles, des communautés, des villages, leur est maintenant délégué ainsi qu'aux maisons de retraite.

Je me souviens du cri de colère d'un médecin de l'hôpital de Grasse où j'étais venue animer une réunion d'information sur les soins

1. David Roy, Charles-Henri Rapin, « À propos de l'euthanasie », *European journal of Palliative Care*, volume I, numéro 1.
2. De l'institut de recherches cliniques de Montréal (Québec).

d'accompagnement [1]. « L'hôpital n'est pas le lieu pour venir mourir ! On nous confie des personnes en fin de vie sans nous donner les moyens de les accompagner. Et, qui plus est, la pression économique est très forte. Il faut faire de la place, libérer les lits pour de nouveaux malades. Comment dans ces conditions accompagner correctement les mourants ? Pourquoi devons-nous faire les frais de ce qu'il faut bien appeler la démission des familles ? »

Il est vrai, d'un point de vue sociologique, que les conditions de vie ont changé. Les familles vivent éclatées, les logements sont de plus en plus exigus, les femmes travaillent. Comment, dans ce cas, garder chez soi un grand malade ? Un congé d'accompagnement suffira-t-il à encourager les familles à garder chez elles un mourant ? Les raisons de cette démission des familles sont aussi psychologiques. L'agonie fait peur. Dans un monde où plusieurs générations ont grandi dans le refus de la mort, il est rare d'avoir assisté à la mort d'un proche. Alors les fantasmes galopent. On imagine les pires scénarios et l'idée même de la mort répugne : « Je ne veux pas qu'il meure ici, dans mon lit, quelle horreur ! » ai-je souvent entendu. L'image de « la mort qui pue » est largement répandue, comme le fantasme d'être contaminé ou englouti

---

1. C'était le 19 novembre 1998, à l'initiative du docteur Sultan, psychiatre dans cet établissement.

par elle. On évacue alors ses mourants vers l'hôpital.

Or celui-ci n'est pas davantage préparé à les recevoir. Comme le rappelle ce médecin, les contraintes économiques sont fortes. Elles ne permettent pas de respecter le temps qu'il faut parfois pour mourir. Les médecins et les soignants ne sont pas formés ni soutenus dans leur tâche difficile. Les postes de psychologue sont rarissimes. La mort est presque toujours vécue comme un échec, et le personnel médical vit confronté à un sentiment d'impuissance pénible dès lors qu'il ne peut plus rien pour guérir un malade. La difficulté de supporter la souffrance de ceux pour lesquels « on ne peut plus rien » conduit souvent à deux extrêmes, deux façons de maîtriser coûte que coûte la situation, l'acharnement thérapeutique ou l'euthanasie clandestine, dans un mépris total de ce que vit la personne et de ses besoins réels.

Les petites cruautés de l'hôpital

À l'heure où je termine la rédaction de ce livre, ma tante est en train de mourir dans un hôpital parisien. Je suis allée la veiller dans son agonie. Elle somnole dans une semi-inconscience, car on lui donne un sédatif « pour calmer son angoisse ». Malgré tout, elle est suffisamment présente pour s'accrocher de toutes ses forces à la main qui s'offre à la sienne. C'est qu'elle est sourde-muette, et la seule chose qui la relie au monde extérieur est ce contact des mains, infiniment précieux dans sa détresse.

L'infirmière est entrée dans la chambre pour aspirer les glaires qui encombrent sa gorge et lui donnent l'impression d'étouffer. Comme je sais, pour en avoir été tant de fois témoin, à quel point ce geste nécessaire est pénible et douloureux pour les malades, je propose naturellement de rester là et de tenir la main de ma tante. L'infirmière refuse. J'insiste et la rassure. Mais elle ne veut rien entendre et me commande de sortir de la chambre. Je ne pense pas qu'elle agit par manque d'humanité, mais plutôt pour se protéger de mon regard, ou encore par habitude. On fait systématiquement sortir les familles au moment des soins. La mort dans l'âme, et pour ne pas faire de scandale, je sors donc. Je sais qu'une infirmière ne peut pas à la fois enfoncer une canule, aspirer, et tenir la main d'un malade, c'est impossible ! Comment peut-on refuser l'aide d'un proche qui rassure par son contact, alors qu'on impose une petite torture au malade ?

Quand je reviens dans la chambre, la tension de ma tante est montée à 20. Du sang coule de sa bouche et elle est dans une angoisse énorme. « Maman, maman, je souffre, j'étouffe », dit-elle. Il faut plus d'une heure pour qu'elle retrouve un peu de calme, sa main accrochée à la mienne.

À neuf heures, le soir, je demande à l'infirmière de nuit si la famille peut se relayer au chevet de ma tante. Cette demande est pourtant légitime. Il s'agit des dernières heures ou des derniers jours d'un être humain. Pourquoi ne pas tout faire pour les apaiser ? Le refus est catégorique, pour des raisons de « sécurité », me dit-on ! J'insiste encore : « Même quand les gens sont mourants, vous ne permettez pas aux familles de rester la nuit ? » Non ! les règles institutionnelles priment sur le besoin des personnes, et c'est bien là que commence l'inhumanité à l'hôpital.

Il m'arrive de temps en temps de recevoir des témoignages qui montrent qu'il existe encore des lieux où de véritables actes d'inhumanité sont perpétrés contre nos vieillards ou nos grands malades. Faut-il passer sous silence ces actes de maltraitance sous prétexte qu'ils restent l'exception ?

Une infirmière est venue me voir. Elle est à bout. Au bord de la dépression. Depuis quatre mois, elle travaille dans un grand hôpital de province. Comme elle vient d'arriver, on l'a affectée au pool des soignants. Elle effectue des remplacements dans les différents services. Un matin, on l'envoie dans un service de long séjour, en gériatrie. Elle sera seule avec une aide-soignante pour prendre soin de trente vieillards. Au moment de prendre le relais de l'équipe de nuit, elle glisse sur des excréments qu'on a laissés là au milieu du couloir. Personne n'a pris la peine de nettoyer. Elle va donc chercher elle-même ce qu'il faut. L'aide-soignante, une habituée du service, est déjà partie secouer les vieillards les plus valides dans leur lit. C'est l'heure de la douche. Il faut qu'ils se lèvent et ôtent leurs casaques (ils n'ont plus d'effets personnels). Elle les houspille sans ménagement. Elle est énervée et brutale. Pour gagner du temps, sans doute, la voilà qui les fait entrer par groupes de cinq ou six dans la salle d'eau. Alignés contre le mur, ils attendent nus et passifs qu'elle vienne les savonner sommairement, puis, avec le jet de la douche, elle les arrose collectivement, sans aucun souci de leur pudeur ni de leurs cris. Il faut faire vite. Les toilettes doivent être terminées pour la visite des médecins. L'infirmière qui me raconte cette scène pénible pleure de honte, d'indignation. Que faire ? Quand elle est allée se plaindre auprès de la surveillante, celle-ci lui a fait reproche de sa sensiblerie. Elle s'est retranchée derrière le manque d'effectifs ! Telle est la réponse qui vous impose silence. Quand il y a deux soignants pour trente malades, peut-il y avoir place pour la délicatesse ou le respect ?

Que puis-je à mon tour pour cette infirmière qui me confie sa peine ? Dénoncer ? C'est tout un système qu'il faut changer. De l'avis de l'infirmière elle-même, cela semble une tâche impossible. Je peux seulement entendre sa souffrance pour qu'elle ne perde pas son humanité dans cette histoire-là, pour qu'elle sache que sa réaction est saine, du côté de la vie, alors que l'indifférence avec laquelle agit sa collègue est déjà du côté de la mort.

On dira que de pareilles histoires sont rares. Je l'espère. Mais je n'en suis pas si sûre. Il y a quelque chose de violent dans la mort et dans son cortège de souffrances. La dégradation physique d'autrui, sa dépendance nous agressent d'autant plus que nous évoluons dans un monde qui valorise la maîtrise, la beauté, la jeunesse. Le sadisme est sans doute la forme d'intolérance la plus extrême de notre société face à ces souffrances, qui pourtant font partie de la vie. La pitié, la fuite, l'indifférence sont d'autres formes de rejet, mais les plus banales sont l'anonymat, le silence et le manque de respect de l'intimité.

La tentation de l'anonymat

L'anonymat règne partout à l'hôpital. On n'y accueille pas une personne, mais « un cancer », « un sida », « une occlusion intestinale ». Les gens n'ont pas de nom, pas d'histoire autre que celle de leur maladie, pas de sentiments, pas de pensée. Ce sont des numéros, « la dame du 12 », « le monsieur du 718 ». Et s'ils sont au seuil de la mort, alors on plaque sur eux une image toute faite, l'image du « mourant ».

Voici comment une psychologue dans une unité de soins palliatifs prend conscience de ce risque banal et pourtant violent qu'elle appelle l'« anonymisation ».

« La tentation que j'ai eue, je m'en suis aperçue assez vite, en arrivant dans le service, lorsque je poussais la porte de la chambre des patients que je ne connaissais pas encore, était d'avoir d'eux – et du même coup de moi – une image préétablie, standard, un portrait robot. Cette image du patient pourrait être dite ainsi : le pauvre, il est mourant, donc à plaindre d'office, donc je le plains – et moi, je ne suis pas mourante et je viens ici, en quelque sorte, lui apporter la vie qui lui manque. À plaindre ainsi le mourant, je le considérais, d'entrée, comme sans nom, comme sans histoire autre que cette histoire commune à tous les malades du service, à peu d'exceptions près, qui est d'être sur le point de mourir. J'imaginais cette mort à la seule lumière de ce que, moi, j'éprouvais devant ma propre mort, et *j'aplatissais* ainsi tous ceux que j'allais voir, les uns après les autres, dans le même schéma, le même moule, dans cette espèce de réduction d'eux à cet événement de leur mort prochaine, cette réduction d'eux au traumatisme de l'approche de leur mort... J'étais tentée de traiter les mourants que j'allais voir tous de la même façon, c'est-à-dire avec peu de pensée, peu d'imagination et beaucoup de bonnes intentions [1]. » J'imagine que beaucoup de soignants pourraient se reconnaître dans cette « tentation » de l'anonymisation !

Comment rester vivant jusqu'au bout quand on meurt à l'hôpital ? Il faudrait au moins avoir le sentiment d'exister comme personne aux yeux des médecins et des infirmières. Il faudrait que l'on

---

1. Brigitte Bouquet, *La Mort, la Plainte et le Psychologue* (à paraître).

s'intéresse à vous, à votre histoire, à votre personnalité, aux pensées qui vous agitent. Quand on se sent mourir, le plus dur n'est pas de mourir, mais de se sentir exclu du monde des vivants. Or l'anonymat participe de cette exclusion.

Le silence

Autre violence banale, quasi quotidienne, faite aux malades à l'hôpital : le silence. Cette façon de les tenir à l'écart de ce qui les concerne, d'esquiver leurs questions. « Personne n'explique jamais rien », ou bien : « Je n'arrive pas à savoir ce que j'ai. » Voilà ce que l'on entend tous les jours.

Comment une personne peut-elle faire sienne une maladie ou une mort dont on ne lui a rien dit ?

Cette peur de « dire la vérité » n'est pas seulement le fait des médecins, mais des familles. Il s'instaure une sorte de complicité entre le médecin et l'entourage du malade pour lui cacher la vérité, sous prétexte de le protéger. N'est-ce pas là lui interdire de s'approprier sa mort ?

On sait que les médecins n'aiment pas communiquer des diagnostics ou des pronostics alarmants. Ils invoquent généralement la raison qu'il est cruel et dangereux pour le malade de recevoir brutalement la vérité, et que cela ne sert à rien. Les malades ne veulent pas l'entendre ou font comme s'ils ne l'avaient pas entendue. Ce sont là des mécanismes de défense bien connus. Il faut au malade le temps d'intégrer ce qu'on lui dit, et ce n'est pas aux autres de décider du rythme de cette intégration, et encore moins de préjuger de sa capacité à le faire.

Comment savoir si le malade qui pose une question veut vraiment entendre la réponse ? On connaît cette réplique de Freud à son médecin lorsqu'il lui a communiqué son diagnostic de cancer : « Qui vous a donné le droit de me tuer ? » Mais le même Freud n'écrit-il pas à son ami Fliess [1] : « Ce qui me tourmente c'est l'incertitude... Je suis très mécontent de la façon dont on me traite ici. Breuer est plein de contradictions apparentes. Quand je dis que je vais mieux, il me répond : "Vous ne savez pas à quel point je suis heureux d'entendre cela", ce qui laisse supposer une affection sérieuse. Si je lui demande de quelle maladie il s'agit vraiment, il me répond : "Ce n'est rien. De toute façon, c'est quelque chose qui est passé." D'ailleurs, il ne me prête pas attention... Je ne sais si c'est par politique, par pure indifférence ou si cela est pleinement justifié. Bref, je constate que l'on me traite évasivement et malhonnêtement comme un patient, quand on pourrait m'apaiser en me disant tout ce qu'il y aurait à dire en pareille circonstance, c'est-à-dire *tout ce que l'on sait.* »

Il ne s'agit pas tant de « dire la vérité » que de dire la réalité. Il y a une nuance. Car « dire la vérité », c'est se poser, par rapport à l'autre, en détenteur

1. Lettre à W. Fliess du 22 juin 1894, citée dans *La Mort dans la vie de Freud*, de Max Schur, Gallimard, 1982.

omnipotent d'un savoir sur lui, alors qu'on pourrait plus humblement se contenter de dire ce qu'on sait, et pas davantage. « Je n'ai plus les moyens de vous guérir, ai-je entendu dire un médecin à un de mes amis mourant, mais tout ne dépend pas de moi, il faut compter avec des choses que je ne maîtrise pas et qui vous appartiennent, la force de vie, le désir de vivre. »

Cette « réalité »-là n'est pas violente, car elle restitue au patient et au mystère des corps ce qui leur appartient.

Est-ce parce qu'on ne sait pas grand-chose qu'il est si difficile de dire tout ce qu'on sait ? « En tout cas, par ce biais du silence, on empêche le patient de se faire une idée sur ce qu'il est en train de vivre, de se faire une vie pour ces jours qui lui restent [1]. »

« Robert est angoissé et souffre », rapporte l'infirmière au cours d'une transmission. Comment le sait-elle ? En fait, au cours de sa tournée du matin, elle entre dans la chambre de cet homme de quarante-cinq ans, qui meurt d'un cancer de l'intestin. Elle le trouve couché en chien de fusil, l'air triste. « Ça ne va pas, ce matin ? Vous êtes angoissé ? Vous souffrez ? » Sans même laisser le temps à son patient de dire quelque chose de lui, l'infirmière plaque sur ce qu'elle perçoit de son mal-être les deux mots passe-partout qui disent tout et n'importe quoi, la souffrance et l'angoisse. Elle ne prend pas le temps de s'asseoir, ne serait-ce que

---

1. Brigitte Bouquet, *op. cit.*

cinq minutes, pour qu'il ait la chance d'exprimer quelque chose de personnel. Et c'est pourtant cela qui l'aiderait : sentir qu'il existe pour cette infirmière, sentir qu'il peut partager avec un être humain ce sentiment de tristesse qui l'habite. Dire quelque chose de lui. Cinq minutes d'attention à son chevet lui feraient plus de bien que la seringue de morphine et d'anxiolytique qu'on va lui injecter parce qu'il « souffre » et qu'il est « angoissé ». Robert ne tardera pas à s'endormir. Ainsi, on aura fait taire la souffrance et l'angoisse anonymes. On aura le sentiment de « faire quelque chose ». Mais que sait-on au juste de cette souffrance ? de cette angoisse-là ? N'est-elle pas d'autant plus terrifiante pour l'infirmière qu'elle ne sait pas à quoi la rattacher ?

C'est ainsi qu'on fait taire les malades, qu'on les fait dormir, sous prétexte qu'ils souffrent trop ou que « ce n'est plus une vie ! » Parfois, ce sont les malades eux-mêmes qui demandent à dormir, quand ils ont compris qu'on a déjà tissé autour d'eux un linceul de silence et de non-vie. Voilà comment Béatrice Piccini [1] décrit son travail d'infirmière dans une maison de retraite intercommunale : « Deux étages, quatre-vingts malades, cette odeur de pisse tenace. Je suis horrifiée de constater que leurs doses de tranquillisants, d'antidépresseurs

1. Béatrice Piccini, *Euthanasie, l'hôpital en question*, Michalon, 1999.

et de psychotropes sont énormes, de quoi les assommer toute une journée. [...] Ce jour-là, je demande à deux généralistes des explications au sujet de la surmédication des malades. [...] Ils me regardent avec des yeux ronds. "À part dormir, que voulez-vous qu'ils fassent ?" me dit l'un d'eux. »

Comme le fait remarquer Brigitte Bouquet, « on pense aux cadavres enterrés avec une pierre sur la tête une pierre sur la bouche, pour que surtout ils ne disent rien et l'on se dit qu'il est curieux qu'avant même que le malade ne soit mort, dans cette partie de vie qui lui reste, on le traite déjà comme un qui ne vit plus [1] ».

L'impossible intimité

Un des aspects de l'anonymat à l'hôpital est le manque d'intimité. On peut sans doute supporter de devenir un temps « objet de soins », de voir ses habitudes bousculées, son espace constamment violé, lorsqu'on est hospitalisé pour un temps court, dans la perspective d'une guérison. Mais lorsqu'on vient finir ses jours à l'hôpital, cette désappropriation de son espace intime est une souffrance bien inutile.

Je suis allée rendre visite, il n'y a pas longtemps, à un vieil ami de mon mari, qui est au seuil de la mort. Il avait demandé que je vienne le voir à l'hôpital. Il

---

1. Brigitte Bouquet, *op. cit.*

voulait parler. On me fait souvent cette demande, depuis la parution de *La Mort intime*. Les amis pensent que je n'ai pas de difficulté à aborder la question avec eux. Ils ont raison. J'accepte donc souvent de le faire. On peut me dire des choses qu'on a du mal à confier à d'autres, aux plus proches souvent. On peut me dire qu'on sent la mort venir. Je ne saute pas au plafond, je ne rassure pas faussement. Mais ce n'est jamais facile pour un mourant de dire : « Je sais que je vais mourir. » Il faut un peu d'intimité. J'étais donc au chevet de cet ami, recroquevillé sur son lit, dans un état de maigreur inimaginable. Il s'est mis à parler dans un souffle. La tête penchée, très près pour entendre, j'écoutais. Une première fois, une infirmière est entrée sans frapper, d'autorité, une perfusion à la main. Pas un mot pour s'excuser de troubler un moment d'intimité évident. Je me suis reculée. Notre ami a cessé de parler. Nous avons attendu que la perfusion soit changée, que l'infirmière sorte, puis je me suis penchée à nouveau. Il a repris le fil de sa pensée, péniblement. Cinq minutes plus tard, une aide-soignante est entrée, toujours sans frapper. Elle vient afficher le menu pour le lendemain. Je me suis reculée encore une fois. J'ai vu le plateau-repas intact sur la table roulante et je n'ai pas pu m'empêcher de lui demander si elle pensait que c'était vraiment utile d'afficher le menu. Elle a répondu bêtement : « On ne sait jamais ! », et puis elle est sortie, l'air vexé. Notre ami a eu un petit sourire d'indulgence : « Elles sont gentilles ! » a-t-il dit.

Fatigué, il s'est endormi. Je l'ai laissé dormir, et je suis partie. Je ne l'ai pas revu. Je ne saurai jamais s'il a eu le temps de dire à quelqu'un d'autre ce qu'il avait besoin de dire.

C'est à dessein que je rapporte ici des manques d'attention « sans grande importance ». Après tout, ces soignantes faisaient leur travail, sans doute avec beaucoup de bonne volonté, mais sans « beaucoup de pensée ni d'imagination ». Et l'enjeu ici est grave. Il s'agit des derniers moments d'un être humain, de son besoin ultime de parler. C'est sans doute ce que les soignants oublient trop souvent lorsqu'ils entrent dans une chambre d'hôpital comme dans un moulin. S'ils avaient davantage conscience que chaque minute d'un mourant peut être la dernière, ils la respecteraient davantage.

Il y a quelques années, lors de la formation que j'ai suivie à l'unité des soins palliatifs de l'hôpital Notre-Dame de Montréal (Québec), j'avais été impressionnée par le souci de l'équipe de préserver l'intimité des patients. Ce souci allait très loin. Ainsi, un jeune homme mourant, marié depuis peu, a exprimé un jour le désir de passer la nuit avec sa jeune femme, comme une sorte de dernier rite d'amour. Le psychiatre du service a su convaincre l'équipe, un peu réticente et perturbée, il faut le dire, par cette demande inhabituellle, de louer pour eux une chambre à l'hôtel le plus proche, afin qu'ils puissent s'aimer une dernière fois en toute tranquillité.

Si certains lieux sont des modèles d'inhospitalité, d'autres sont des havres d'humanité. Nous en connaissons tous. On fait souvent, heureusement, l'éloge de soignants qui ont à cœur de protéger l'intimité et la dignité de ceux qu'ils soignent. Ils ont d'autant plus de mérite qu'ils rament souvent à contre-courant dans ce monde technique et froid de l'hôpital, axé sur le rendement et l'efficacité. Parfois, ils se découragent et s'en vont. L'institution avec ses rigidités et ses pesanteurs engloutit souvent les meilleures volontés, les meilleurs efforts.

Les conditions pour une mort humaine sont trop rares aujourd'hui. Il faudrait une médecine qui permette la mort au lieu de la nier, des soignants qui n'en aient pas peur, qui sachent écouter, respecter, apaiser. Il faudrait un accueil et un soutien des familles, une vraie solidarité.

Ainsi certains lieux sont-ils plus humains que d'autres. C'est cet arbitraire que nous redoutons par-dessus tout.

Qui souffre et de quoi ?

Quand la demande d'euthanasie émane des proches ou des soignants, on est en droit de se poser une première question : qui souffre et de quoi ?

« Docteur, on ne peut pas le laisser comme ça ! Il faut faire quelque chose ! » Cette plainte ne signifie-t-elle pas : « Docteur, nous ne supportons plus de le voir comme ça ! »

Trop souvent, cette dimension projective de la souffrance de l'entourage n'est pas prise au sérieux. Les médecins et les soignants, qui souffrent eux aussi de leur impuissance face à la mort de leur patient, n'ont pas le recul nécessaire pour ne pas tomber dans le piège de cette demande. Parfois, ils n'ont ni l'envie ni le temps de s'asseoir près d'une famille en détresse pour l'écouter et l'entourer. Pour l'aider à passer ce cap difficile.

Alors, la tentation est grande d'accélérer la fin. On se dira, pour garder bonne conscience, que l'on a agi par compassion. N'est-ce pas un peu hypocrite et lâche ? Ne faut-il pas commencer par admettre honnêtement que nous avons tous du mal à supporter de voir mourir ceux que nous aimons et que nous soignons ? Dans un monde où partout, autour de nous, on valorise la beauté, la jouissance, le bonheur, il est sans doute difficile d'accorder un peu de prix aux derniers instants d'un agonisant ! Ça peut même être terrifiant pour certains, ce spectacle de la déchéance humaine, un corps sans forces, secoué de râles ! Mais ce sont aussi les derniers instants, les derniers gestes, les derniers regards, peut-être aussi les derniers sourires d'une personne qu'on a aimée et côtoyée ! Et cela compte.

Comment aider les familles et les soignants à dépasser la pitié dangereuse, celle qui pousse à accélérer la fin, parce qu'on ne supporte plus la lenteur de l'agonie ? Comment les aider à pratiquer la vraie compassion ?

Aider les familles en souffrance

Mme N'Guyen est arrivée depuis plusieurs jours dans l'unité de soins palliatifs, accompagnée par son mari. Le couple a vécu à Londres une grande partie de sa vie, une vie d'intellectuels engagés dans la vie politique et littéraire du pays. Ils sont tous les deux très lucides sur le pronostic fatal de Mme N'Guyen. Au bout de quelques jours, son état se dégrade. Elle commence à divaguer, à gémir comme un enfant blessé, avec une petite voie aiguë et enfantine. Son mari se montre rapidement désemparé. Voilà une femme qui gémit comme une petite fille, dans un dialecte chinois qu'il ne connaît pas. Lors d'un entretien avec moi, il évoque la possibilité d'une euthanasie. Il me dit qu'ils en avaient parlé longuement, sa femme et lui, et qu'elle avait demandé qu'on ne la laisse pas se dégrader physiquement ni intellectuellement. N'est-ce pas ce qui est précisément en train de se produire ? Je vois combien il souffre. Il ne la reconnaît plus ! Il n'ose même plus entrer dans la chambre, car elle semble s'agiter chaque fois qu'il s'assoit près du lit. Au milieu de son délire, elle l'agresse, elle l'insulte. Ce n'est pas supportable ! C'est indigne d'elle ! Il faut mettre fin à cela !

En équipe, nous nous réunissons alors pour une « cellule de crise ». C'est ainsi que nous baptisons ces réunions impromptues pour discuter ensemble d'un problème aigu.

Yvonne, l'aide-soignante chinoise, explique que

Mme N'Guyen semble être retournée en enfance. Elle raconte des souvenirs très anciens dans sa langue maternelle. Yvonne a parfois l'impression que la femme s'adresse à elle comme à sa mère. Il se joue peut-être là quelque chose d'essentiel pour elle ? Nous décidons d'en parler à son mari. On me demande de le faire. M. N'Guyen est assis dans le fauteuil au bout du couloir. Il attend le verdict de l'équipe. Je me charge donc de lui raconter ce qui se passe entre l'aide-soignante et sa femme. Je lui fais comprendre que sa femme vit sans doute une régression dont elle a besoin. Elle peut se permettre de redevenir une petite fille en quête de sécurité affective dans les bras d'Yvonne qui la berce et lui fait de longs massages en chantant des petites comptines chinoises. Pourrait-elle se permettre une telle régression avec lui ? Non, il en convient, car jamais pendant leurs années de vie commune elle ne s'est laissée aller à une telle demande affective. Il n'a connu qu'une femme brillante et maîtresse d'elle-même. M. N'Guyen est un homme fin et intelligent. Il comprend qu'il doit s'effacer momentanément, le temps qu'elle reçoive la tendresse dont elle a besoin et qu'il ne se sent pas capable de lui donner. Il accepte donc de se retirer. Il va passer plusieurs jours dans ce fauteuil. Mais nous ne l'abandonnons pas pour autant. Tous les jours, je passe un moment avec lui. Il me parle de leur vie. Il tisse le fil rouge de leur relation. Je sens que cela lui fait du bien. Il est plus calme. Sa femme aussi s'est apaisée. Maintenant elle le réclame. Il revient donc près d'elle, différent. Il se surprend alors à lui caresser la joue avec une douceur qu'il ne se soupçonnait pas. Elle semble suspendue à son geste, comme si elle l'avait toujours attendu.

Cette histoire le montre : la maladie altère et rend parfois l'être humain étranger aux yeux de son entourage. On ne reconnaît plus l'homme ou la femme qu'on a aimé. Cette souffrance est souvent à l'origine des demandes d'euthanasie formulées pour et à la place de la personne concernée. L'écouter pour éviter qu'elle ne vienne alourdir celle des malades est certainement une prévention efficace des morts volées.

Le sentiment d'être inutile, impuissant, au chevet d'un mourant en agonie conduit si souvent à la demande explicite d'abréger la vie. Tout pourtant semble indiquer qu'à travers cette régression ultime, ou même ses plaintes, la personne cherche à communiquer un message : « Occupez-vous de moi ! Rapprochez-vous de moi, laissez-moi sentir que j'ai ma place dans votre cœur. »

J'ai souvent remarqué combien les soignants ou les accompagnants bénévoles peuvent aider les proches à franchir le mur du silence ou de la fausse pudeur qui les empêche d'apporter au mourant l'affection qu'il attend.

Un jour, je me trouve moi-même au chevet d'un homme d'une quarantaine d'années qui, au terme d'un cancer du poumon particulièrement pénible, a des difficultés à respirer. Je vois entrer son frère qui a exprimé à plusieurs reprises le désir que « nous fassions quelque chose » pour accélérer les choses. Il vient toujours, je l'ai remarqué, se mettre dans un coin de la chambre. Il observe son frère haleter dans le silence. C'est, sans nul doute, une vision pénible. Je voudrais lui suggérer de se rapprocher du lit, mais je le sens tellement sur la défensive que l'occasion ne s'est pas encore présentée. Jusqu'à cet après-midi, où il me voit soulager la respiration difficile de son frère, la main légèrement posée sur son plexus. Je me lève alors et lui cède la place. Après tout, n'est-ce pas sa place à lui d'être proche de son frère ? Je quitte la chambre et, deux heures plus tard, je reviens. À ma grande surprise, l'homme, toujours si terrifié dans le coin de la chambre, s'est rapproché de son frère, et, imitant mon geste, caresse doucement son torse secoué. Sait-il à quel point il lui fait du bien ?

« À quoi ça sert d'être assis auprès de quelqu'un qui ne communique plus ? » m'a-t-on souvent demandé. Si l'on ne reste pas là, à son chevet, comme s'il pouvait parler, ce serait faire comme s'il était mort. Alors, se tenir près de lui, cela signifie qu'il est toujours vivant, qu'il a toujours une histoire, une âme.

Combien de fois ai-je pris par le bras un homme, une femme errant, désemparés, dans le couloir, parce qu'ils ne savaient plus comment aider celui ou celle qui était sur le point de mourir. « Il souffre trop. Faites quelque chose », suppliaient-ils. Nous allions dans la chambre, et je leur montrais le visage reposé, sans pli de souffrance, la main détendue dans la leur, les signes de l'attente tranquille de la mort. On est si angoissé soi-même qu'on voit tout à travers le filtre de sa propre angoisse. « Asseyez-vous là ! leur proposais-je, donnez-lui la seule chose qui lui fasse du bien, votre présence aimante et calme ! » Je les voyais s'asseoir alors, prendre doucement la main du mourant et lui communiquer toute la tranquillité dont ils étaient capables.

Je repense souvent à ce moment de l'accompagnement de sa mère, que Catherine Dolto-Tolitch m'a confiée : « Quand elle était dans des moments de bascule, au bord de la mort, ce qui la retenait c'étaient nos paroles d'amour et nos mains. Pendant les quintes de toux qui étaient les moments dangereux, elle tendait une main en disant : “Une main, une main !” Il fallait lui prendre la main. “Merci, disait-elle, parce qu'une main, c'est de l'oxygène.” Ce que tout le monde sait finalement. »

Quand les proches peuvent donner cet « oxygène » de la bonne présence, chaleureuse et rassurante, ils ne demandent plus qu'on « fasse quelque chose pour en finir ». Pourquoi est-ce si rare et si difficile de trouver le geste juste, le mot qui apaise ? Est-ce la peur d'être contaminé par la mort ? « La crainte ancestrale d'être entraîné, dévoré par le moribond[1] ? » Ou bien la culpabilité et l'insupportable sentiment d'impuissance qui empêchent d'être tout simplement présent ?

Il faut le répéter. Les proches ne peuvent accompagner l'un des leurs, mourant, s'ils ne sont pas eux-mêmes accompagnés. Leur souffrance, ils ont besoin de la dire. Il faut qu'ils puissent se décharger de ce qui devient trop lourd à porter. Autrefois, dans les villages, quelques femmes jouaient ce rôle de « passeuses ». Elles avaient moins peur de la mort que les autres. Elles réconfortaient les familles, épongeaient l'angoisse, permettaient que l'on parle et que l'on pleure. Aujourd'hui, qui joue ce rôle ? Quelques psychologues, quand il y en a dans les services, quelques bénévoles, quand les services sont assez généreux pour leur ouvrir leurs portes. Il faudrait réinventer cet accompagnement de proximité, créer des réseaux de soutien dans les quartiers. Si les proches pouvaient parler, décharger leur angoisse, confier leur culpabilité, ils feraient moins pression sur les infirmières pour qu'elles accélèrent les perfusions. L'euthanasie sauvage serait moins répandue.

J'ai reçu si souvent des hommes et des femmes épuisés par des semaines de veille au chevet d'un mourant, des nuits sans sommeil, des allées et venues fatigantes, suppliant que l'on mette un terme à ces agonies interminables. Ils venaient me

1. Michel de M'uzan, *De l'art à la mort*, Gallimard, 1977, p. 193.

parler de leur souffrance à eux et n'avaient plus qu'un désir, voir mourir leur mari, leur femme ou leur fils. Ce désir-là est difficile à dire. On en a honte. Il arrive un moment où, malgré le chagrin, malgré l'envie de retenir près de soi un être aimé, on se surprend à souhaiter sa mort. Ce désir mortifère prend sa source dans la culpabilité des proches de n'avoir pu empêcher l'être aimé de mourir ou de ne pas l'avoir assez aimé.

Quand on peut aider les familles à accepter l'idée que la mort de l'autre fait partie de son histoire et que personne n'a le pouvoir de l'en empêcher, quand on prend le temps de parler avec elles de leur culpabilité, quand les familles osent prendre le repos dont elles ont besoin, elles acceptent alors de laisser au mourant le temps dont il a besoin. Car il s'agit de cela, laisser à l'autre le temps de mourir. Je dis souvent à ceux qui trouvent ce temps trop long qu'il faut du temps pour mourir comme il en faut pour naître. Certains ont besoin de plus de temps que d'autres.

Solitude et désarroi des soignants

Lorsque l'affaire Malèvre éclate au grand jour, révélant une réalité cachée, l'euthanasie clandestine dans les hôpitaux, les réactions sont unanimes : c'est un drame de la solitude. Les infirmières sont trop souvent seules et démunies devant la souffrance et l'angoisse de leurs malades en fin de vie.

On sous-estime la lourdeur de la tâche qui est confiée à de jeunes infirmières sans formation spécifique, n'ayant pas eu le temps d'acquérir la maturité nécessaire, confrontées souvent brutalement et sans soutien à des détresses insupportables.

Les infirmières sont en première ligne. Ce sont elles qui reçoivent les regards chargés d'angoisse de leurs malades au seuil de la mort. « Ont-ils déjà vu la nuit les yeux d'un agonisant encore conscient ? Des yeux qui supplient, des regards qui mendient pour passer apaisés et sans violences supplémentaires d'un monde à l'autre ? » se demande une infirmière [1], à propos des médecins qui la laissent trop souvent seule face à la détresse de ses malades. Cette angoisse qu'elle perçoit dans leur regard, c'est une angoisse inévitable, celle de l'être humain devant sa fin si proche, devant cet inconnu de la mort. Elle est tentée de la supprimer, non pas tant parce qu'elle ne sait pas comment la soulager autrement, mais parce que c'est une angoisse qui réveille ses propres angoisses à elle, et cela n'est pas supportable !

On entre dans un véritable cercle vicieux. Le mourant perçoit très finement l'anxiété de son infirmière. Sa propre angoisse devient alors impossible à partager. Il se replie sur lui-même, refuse tout contact, devient parfois agressif, brutal, et descend au creux de sa solitude. Il est bien difficile pour l'infirmière de rejoindre quelqu'un si enfermé sur

---

1. Béatrice Piccini, *Euthanasie, l'hôpital en question*, *op. cit.*

lui-même. Ce repli sur soi l'angoisse. Elle mitraille le pauvre malade de questions : avez-vous mal ? Êtes-vous angoissé ? Avez-vous peur ? Ces questions ne font que l'isoler davantage. Le malade se recroqueville un peu plus ou bien envoie promener l'infirmière. Que reste-t-il comme issue ? Augmenter les doses de calmants. Le résultat ne se fait pas attendre : le malade sombre dans l'inconscience. Il dort et n'embête plus personne.

Oser briser la solitude du mourant, oser frapper à sa porte n'est pas facile. Il faut montrer que l'on n'a pas peur d'entrer en contact avec cette angoisse-là. Et c'est précisément cette capacité d'aller vers le mourant, sans angoisse excessive, qui fait défaut à la plupart des soignants.

Ce qui est insupportable, c'est d'être confronté à des questions sans réponse, c'est d'être plongé dans un sentiment d'impuissance et de culpabilité parce que l'on ne sait plus quoi dire ni quoi faire. Sans soutien, sans formation, sans maturité personnelle, comment peut-on s'asseoir au chevet d'un agonisant, éponger le trop-plein de son angoisse, lui permettre de parler et de transformer par là même cette énergie chaotique en quelque chose qui fasse sens ? Les mourants souvent ne demandent pas autre chose : dire leur tourment, sentir que quelqu'un est là pour l'entendre.

Quand on ne peut pas rester là, présent, malgré son impuissance, tenir une main inquiète, soutenir un regard angoissé, essuyer des larmes sur une joue, « Je suis là, dites-moi... racontez-moi... », on est tenté de plonger le mourant dans l'inconscience pour qu'il se taise enfin, pour fermer à jamais ces yeux trop angoissés. On est tenté de mettre fin à sa vie. On appelle cela le geste qui délivre.

Le groupe de parole : un lieu pour dire sa souffrance

Les soignants sont là pour soulager, et on ne leur donne pas les moyens de le faire. On les a formés à guérir, sans jamais leur parler de la mort, et les voilà en première ligne.

Que dire ? Que faire ? Ces questions reviennent sans cesse dans les formations à « l'accompagnement de la fin de vie » que j'ai animées ces dernières années, et que les soignants réclament. Former les soignants, ce n'est pas leur donner des recettes, ni leur apporter des réponses toutes faites, mais leur permettre de sortir du déni, du silence, de l'illusion de maîtrise et de toute-puissance dans laquelle leur formation initiale et l'attitude de notre société les cantonnent. Il faut leur offrir la possibilité de parler de ce qu'ils vivent, de ce qui les touche et les émeut, de leur propre conception de la mort, de leurs difficultés face aux patients. Ainsi découvrent-ils qu'ils ne sont pas seuls à se sentir mal à l'aise ou déroutés. Ils ont souvent une expérience et une connaissance inestimables de ce que vit le patient. Quand on leur donne l'occasion d'en parler, ils réalisent qu'ils savent plus de choses qu'ils ne l'imaginent. Ils ont du cœur, de l'intuition, du bon sens. C'est le rôle des groupes de soutien ou des groupes de parole que de permettre l'expression de ces qualités mais aussi d'inviter chacun à discerner ce qu'il peut faire et ce qu'il ne peut pas faire.

Certes, on peut beaucoup pour soulager la douleur physique, pour améliorer le confort et la qualité de vie des derniers instants – on sait à quel point l'attention, la tendresse, les contacts chaleureux des soignants changent la perception que les mourants ont de leur état.

Mais il y a toute cette souffrance pour laquelle il n'existe pas de remède, car elle est inévitable. L'angoisse face à l'inconnu de la mort, la douleur de la séparation d'avec les siens, l'humiliation de la détérioration physique ou de la perte d'autonomie. Que peuvent les soignants face à ces souffrances, sinon accepter de les entendre, malgré leur impuissance, pour qu'au moins elles ne soient pas vécues dans la solitude et dans l'abandon ?

Les groupes de soutien contribuent précisément à cet apprentissage d'une bonne présence humaine, ni trop proche, pour ne pas être submergé par le chaos de la détresse, ni trop distante, pour ne pas se retrancher derrière des barrières défensives qui isolent.

Cela demande bien sûr du temps pour parler, mais surtout un climat de confiance, de soutien réciproque, de permissivité affective. Une infirmière qui peut exprimer sa peur, sa tristesse ou sa colère lors d'une réunion d'équipe, sans être mal jugée par ses collègues ou ses supérieurs, apprendra peu à peu à travailler avec sa propre vulnérabilité au lieu d'être submergée par elle.

Je suis persuadée qu'il y aurait moins de demandes d'euthanasie et moins de tentation de la pratiquer si l'affectivité était plus valorisée dans le monde de la santé. Si l'on pouvait, sans crainte de se le faire reprocher, parler de ce qui émeut en profondeur, exprimer ses sentiments d'impuissance ou de culpabilité, pratiquer une compassion d'équipe.

Il serait moins difficile alors de passer un peu de temps au chevet des malades pour les écouter et éponger leur angoisse. Mais cette compassion d'équipe, où la trouver dans un monde où l'efficacité et la rentabilité seules comptent ? Comment être disponible lorsqu'on « est deux pour vingt-cinq lits » ou « seule pour trois étages » [1]. Comment la trouver dans des services où la tâche technique ne peut s'inscrire à l'intérieur d'une dimension humaine ? Quand il n'y a pas de réflexion d'équipe sur le sens du travail, sur la manière d'humaniser les soins donnés aux agonisants ? Le livre de Béatrice Piccini en dit long sur le désert affectif de l'hôpital. Le quotidien de l'infirmière est souvent loin du climat chaleureux et idéal décrit sur les bancs de l'école. « Il est fait d'humiliations, de tâches ingrates, essentiellement techniques. La parole de l'infirmière, qui pourtant est celle qui connaît le mieux le malade, n'est pas prise en compte. »

---

1. *Ibid.*

« Naïvement, je pensais m'intégrer dans un univers convivial, solidaire, où la personnalité et l'avis de chacun sont pris en considération. Quelle belle illusion ! Nos avis sont dès le départ classés états d'âme. L'hôpital est un étouffoir d'émotion, un éteignoir d'enthousiasme. Cela ne se fait pas de montrer sa joie ou ses larmes à ses supérieurs directs. Il n'est pas bien vu de passer du temps dans la chambre des malades, de donner son avis, de "penser". »

« Vous n'êtes pas là pour penser », lui dira-t-on un jour [1].

On comprend que l'infirmière soit révoltée contre cette « grande neutralité émotionnelle [2] » de l'hôpital qui les livre, elle et l'agonisant, à la solitude. Elle raconte comment, dans son désir d'accompagner une jeune femme de son âge atteinte d'un mélanome avancé, elle s'est heurtée à ses limites affectives. Le médecin avait esquivé les questions de la jeune malade. Il était pressé. Il l'a donc laissée tout le week-end avec son angoisse sur le cœur. Béatrice perçoit la douleur morale de cette femme, elle aimerait lui parler, la rassurer. Mais il y a tout le service dont elle doit s'occuper et peut-être aussi ne sait-elle pas « gérer » sa propre angoisse ? « J'étais éprouvée, sans doute parce que je m'étais trop investie affectivement avec elle, parce que j'aurais pu être à sa place... Quand on voit mourir

---

1. *Ibid.*
2. Norbert Elias, *La Solitude des mourants*, Bourgois, 1998.

des gens dans des conditions souvent atroces et indignes, on ne ressort pas indemne, ça laisse des cicatrices. Pour nous ce n'est pas du cinéma. On ne peut pas zapper en rentrant chez soi [1]. » L'infirmière ne peut pas mieux dire combien les soignants sont affectés par la mort de leurs patients. Comment le leur reprocher ? S'agit-il d'une « bizarrerie », quand on ne peut pas « préserver son cœur » ?

Il faut cesser de dire que les soignants sont des professionnels qui ne doivent pas avoir d'« états d'âme ». C'est irréaliste, et cela ne les aide pas. Comment, lorsqu'on est une jeune infirmière, ne pas être touchée par la mort d'une femme de son âge ? Une des fonctions des groupes de parole est d'accueillir cette affectivité des soignants pour leur permettre de ne pas être débordés par elle et pour qu'elle trouve sa place, sa juste place.

Le groupe de parole est souvent le seul lieu où les infirmières peuvent venir parler des tensions auxquelles elles sont soumises. Leurs patients leur répètent qu'ils n'en peuvent plus, qu'ils veulent en finir, les familles demandent si cela va encore durer longtemps. Cette tension est extrême. Un lieu où l'on peut venir déposer ces demandes impossibles et évaluer ensemble, avec les autres, la meilleure réponse possible, voilà ce qu'il faudrait instituer dans ces services difficiles.

---

1. Béatrice Piccini, *op. cit.*

Or la plupart de ces services n'ont pas de psychologue ni de groupe de soutien.

Aujourd'hui, je rencontre Marie Gabrielle Hentgen [1]. Après avoir travaillé plusieurs années en soins palliatifs, cette infirmière est aujourd'hui chargée de formation auprès des soignants de l'Assistance publique. Elle aussi confirme que l'euthanasie clandestine se pratique très souvent.

« J'ai beaucoup travaillé sur la souffrance des soignants. Les soignants souffrent parce qu'une part de la souffrance de leurs malades est insoulageable et que cela les renvoie à leur sensibilité. Il faut accepter qu'il y ait une part de souffrance qu'on ne peut pas enlever. C'est la souffrance existentielle. Cette souffrance-là, chacun peut la porter à condition de ne pas se sentir seul. C'est vrai pour les soignants comme pour les familles. Donc la souffrance qu'on peut enlever, c'est celle qui vient de l'isolement, du manque de communication. Si on arrivait à se parler, à travailler en équipe, il y aurait moins de souffrance. »

La vraie souffrance est donc là. Dans ce manque de communication au sein des équipes, mais aussi dans le peu d'importance qu'on accorde à la dimension humaine.

« Dans notre monde, donner du temps, écouter, cela est extraordinaire. C'est un luxe qu'on ne

---

1. Entretien du 28 mai 1999.

pardonne pas ! On le reproche même souvent aux soignants. On les accuse “d’acharnement relationnel” quand ils prennent le temps de s’asseoir près du patient et de lui parler. »

Marie Gabrielle Hentgen est persuadée que les soignants ont des ressources humaines immenses, mais qu’ils ne font pas assez confiance à leur être. Ils s’imaginent qu’ils doivent dire ou faire des choses, alors que, bien souvent, il leur suffit d’être là avec ce qu’ils sont. Elle en a fait si souvent l’expérience. « Je me souviens un jour où j’étais près de Denise. Je me sentais impuissante et finalement je me suis dit : la seule ressource que j’ai, c’est moi. Je lui ai fait part de mon sentiment d’impuissance. On a pu se rapprocher. Elle m’a caressé la joue en me disant : “Ma pauvre chérie !” Elle est morte le lendemain. Après, je me sentais bien, parce que j’avais osé être moi-même et que ça avait marché. C’était douloureux parce qu’elle était morte et que je l’aimais bien, mais je me sentais bien… Les soignants n’osent pas être eux-mêmes. Ils se disent : que vont dire les autres ? Qu’est-ce qu’on va dire si on me voit assise à côté du malade, ou avec le malade dans mes bras ? »

Le rôle de la formation continue en milieu hospitalier, c’est de permettre aux soignants de partager leurs expériences. Ils se rendent compte alors qu’ils ont plus de ressources qu’ils ne l’imaginent. « C’est aussi leur permettre de prendre conscience que c’est à chacun de s’engager dans un processus de réflexion, de développement personnel. »

Impuissance des médecins

Un médecin sur deux avouerait avoir pratiqué, au moins une fois dans sa vie, un acte d'euthanasie.

Quel est le médecin qui ne s'est pas trouvé un jour confronté à cette demande de la part d'un mourant, d'une famille ou même d'une équipe soignante : « Docteur ! c'est intolérable ! Faites quelque chose ! » Cette demande fait violence au médecin. Elle le confronte à son incompétence ou à son impuissance. Son caractère urgent l'incite à agir. Sa formation médicale aussi. Peu de médecins savent prendre une distance émotionnelle, notamment par le travail d'équipe, ni prendre du temps pour écouter le patient et tenter de décoder sa demande. Ils ne disposent pas non plus, à l'heure actuelle, d'outils de réflexion éthique pour guider leur action et soulager leur propre souffrance. Comment, dans ce cas, ne pas être tenté de prescrire une dose mortelle ?

Le docteur P. est médecin en ville, praticien hospitalier à mi-temps, il a opté il y a quelques années pour un temps partiel en soins palliatifs. Sa culture psychanalytique et, sans doute, une expérience personnelle le portent à penser sa pratique. Pour lui, il n'y a pas de doute, les euthanasies qu'il a pratiquées pendant des années en posant des cocktails lytiques n'auraient pas eu lieu s'il avait été formé aux soins palliatifs. « L'intérêt des soins palliatifs, c'est de montrer les mécanismes qui permettent d'éviter les euthanasies sauvages. » Celles-ci étaient pratiquées lorsqu'on ne savait plus comment soulager la douleur ou l'angoisse des patients, mais elles l'étaient aussi quand l'équipe ne supportait plus un patient. Dans ce cas, il s'agissait purement et simplement d'assassinats.

« Je me souviens d'un patient espagnol qui avait eu un arrêt vasculaire cérébral. Il était comateux et on n'arrivait pas à communiquer avec lui. Très vite, on a senti une intolérance de l'équipe à son égard. Il représentait une charge de travail énorme, et générait un sentiment d'impuissance. On avait le sentiment qu'il ne pourrait pas s'en sortir. La famille ? Elle était inexistante… En tout cas, elle ne s'est pas manifestée. Nous n'avions donc pas de projet pour lui. Que faire de lui ? Les infirmières disaient : "Ça ne peut pas durer." Le chef de service a demandé alors qu'on le lyse, c'est-à-dire qu'on l'euthanasie. Moi, j'étais son adjoint. Je ne voulais pas que les infirmières le fassent, après tout c'est un geste médical. Après une semaine de discussion, j'ai décidé que je le ferais. Je me suis retrouvé assez seul. Je lui ai injecté du Valium à haute dose. Il a arrêté de respirer, puis son souffle est reparti. Je me suis senti mal et je me suis dit : "Ça rime à quoi ? Il n'a peut-être pas si envie que ça de mourir." Mais j'étais pris dans un engrenage, je lui ai injecté du potassium et je l'ai tué. J'emploie le mot parce qu'à mon sens c'est un assassinat. Maintenant, je pense qu'on n'aurait pas dû faire ça. La leçon que j'en ai tirée, c'est que lorsqu'il y a une euthanasie comme ça, c'est que le malade est mal pris en charge. On aurait pu, je ne sais pas, l'envoyer à l'hôpital de Berck, ou décider de le garder et de l'accompagner, en collaboration avec sa famille. Ce qui manquait, c'était un projet. »

Se sent-il coupable ? Non, parce que, à l'époque, il n'avait pas le savoir qu'il a aujourd'hui. Maintenant, comme souvent en soins palliatifs, il est confronté à des situations bien pires, mais il les aborde plus sereinement, et moins seul.

L'euthanasie est un aveu d'impuissance, comme le démontre cette histoire : manque de compétence, manque de formation, pas d'autres solutions à offrir, et pression de l'entourage. Le médecin peut être tenté de tuer son patient à son insu.

Mais un aveu d'impuissance est aussi un geste de toute-puissance, une façon de rester maître de la situation jusqu'au bout, d'être en quelque sorte plus fort que la mort, puisqu'on peut la donner.

D'autres histoires montrent qu'à l'incompétence s'ajoutent la fuite, la déresponsabilisation des médecins. Combien de soignants se plaignent du mépris des médecins qui « dirigent la bataille de loin », ces hommes « au cœur de pierre, incapables de sentiments, inabordables, qui ne parlent pas, ne cherchent pas le dialogue avec les infirmières » [1].

---

1. Sophie Aurenche, *Euthanasie, la fin d'un tabou ?*, ESF, 1999, p. 104.

Combien d'infirmières se plaignent d'être laissées seules, livrées à elles-mêmes, en face de malades mal soulagés, réclamant la mort ?

Béatrice Piccini raconte l'histoire de Rosine, qui voudrait bien s'en aller, s'endormir, ne plus se réveiller, parce que vivre, ce n'est pas « dormir , manger et ne plus rien sentir [1] ». L'infirmière parle au médecin de cette souffrance intérieure de la vieille femme. « Qu'est-ce qu'on peut faire ? répond-il. On ne va pas la tuer ? » Au-delà de cette réponse laconique, cherchera-t-il avec l'infirmière comment l'aider « à sentir » qu'elle est encore vivante pour eux ? Non ! Rosine sombre dans la confusion. « On l'attache dans son lit. On lui met une perfusion pour l'hydrater. La nuit, elle donne des coups sur les barreaux, essaye de passer par-dessus, se coince les jambes en hurlant. » L'infirmière finit par prendre l'initiative d'augmenter les doses de tranquillisants habituelles et Rosine meurt.

« Les médecins ne prennent pas leurs responsabilités face aux fins de vie. Ils savent que les infirmières ne laissent pas les malades hurler et supplier sans rien faire. Ils n'ignorent pas qu'elles accélèrent les perfusions et qu'elles augmentent les prescriptions jusqu'à la dose ultime », affirme Béatrice Piccini [2], qui regrette que cette hypocrisie, tout comme la lâcheté dont ils font preuve en déléguant

1. *Ibid.*
2. *Ibid.*

cette mort « à mots couverts, à prescriptions griffonnées, illisibles par un tiers », fasse porter aux soignants un poids insupportable.

Que pense Bernard Glorion, le président du Conseil de l'ordre, de cette démission des médecins devant la mort ?

– Je plaide coupable, reconnaît-il [1], les médecins ont failli dans leur devoir d'accompagnement. La médecine performante de cette fin de siècle a fini par oublier l'homme.

Le professeur Glorion me raconte alors que, lorsqu'il était interne en chirurgie, le patron leur disait : « Ce n'est pas la peine d'entrer, ce malade est en train de mourir ! »

– Quand on y réfléchit, c'est monstrueux ! Nous étions résumés à des actes techniques. Cela signifiait qu'on s'occupait seulement des corps. La tradition familiale m'avait formé à autre chose. Tout de même ! Quand un malade se confie à un médecin, il se confie corps et âme, entièrement. Quelle responsabilité ! Il n'y a aucune raison que ça n'aille pas jusqu'à la mort.

Et pourtant, combien de médecins généralistes, qui pourraient contribuer à un maintien des mourants à domicile, se dérobent aujourd'hui ?

La femme d'un de mes amis, atteinte d'un cancer généralisé arrivé dans sa phase terminale, décide de

1. Entretien du 29 mars 1999.

terminer sa vie sur une petite île de l'Atlantique. C'est un lieu magique, un lieu où « elle a son âme ». Un lieu où, malgré les progrès de la maladie, elle s'est toujours sentie vivante, vivifiée. C'est important, même quand on est mourant. Elle veut donc mourir dans cette maison qu'elle aime. Son mari l'emmène et ils coulent des jours plutôt heureux. La vie sur l'île est simple et chaleureuse. Les gens du village les aiment bien. La maladie progresse, bien sûr. Mais quand on est chez soi, entouré de ceux que l'on aime, au milieu de ses souvenirs, ce n'est peut-être pas tant un drame. Puis, tout à coup, les choses se précipitent. Elle va plus mal. On appelle le docteur. Il ne peut pas ne pas voir qu'elle est mourante. Il lit le dossier. Il sait que l'on a abandonné les chimiothérapies. Elles n'ont plus d'effet. Il sait qu'elle prend un traitement contre la douleur. Il sait qu'elle sait. Et, malgré tout cela, il va la traiter comme si on pouvait encore faire quelque chose pour lutter contre la maladie. Il va nier la mort qui vient. Il va prescrire son transfert à l'hôpital, sur le continent. « Mais elle est peut-être en train de mourir ? » demande timidement son mari. « Je ne sais pas gérer la mort », répond le docteur, avouant son incompétence. Il appartient en effet à la génération des médecins qui ont appris à être des techniciens. Il n'a presque jamais vu la mort de près. Il la délègue toujours à ses confrères de l'hôpital ! Elle lui fait sans doute peur, comme à beaucoup. Alors qu'il aurait simplement suffi de rassurer la famille, de la soutenir par une présence chaleureuse, de passer de temps en temps pour s'assurer que l'engagement dans la mort se faisait sans douleur et sans angoisse, au lieu d'accompagner cette femme et sa famille, il commande une ambulance, et un transfert par hélicoptère, puisqu'il y a urgence. Cette femme a donc quitté sa maison dans laquelle pourtant elle avait choisi de mourir. Elle est morte pendant les quinze minutes de vol, dans le brouhaha des moteurs et le froid d'une journée d'hiver.

Pourquoi ne lui a-t-on pas accordé le droit de mourir tranquillement chez elle, là où elle le voulait ? Pourquoi lui a-t-on volé sa mort pour lui imposer cet éprouvant voyage ?

Il nous faut rendre à la mort son humanité, nous dit-on. Peut-être faudrait-il que nos médecins reviennent à plus d'humanisme et de bon sens, qu'ils fassent aussi une juste place à la mort dans leurs soins.

Cette histoire, je l'ai racontée au professeur Glorion. Il a d'abord réagi vivement :

– Ce médecin n'a rien compris ! Quand on est appelé auprès de quelqu'un qui se trouve à la dernière extrémité, et c'était le cas pour cette femme, il ne faut pas rêver ! On ne va pas la sauver ! Et ce n'est pas ce qu'elle demandait. Il fallait s'asseoir, la rassurer, rassurer son mari. Il n'y avait rien à faire que d'être présent.

Comment arrive-t-on à de pareilles situations ? Les médecins sont mal à l'aise devant la mort. Ils ne savent pas en parler, et puis ils ont une approche des symptômes, pas de la personne.

– Plusieurs générations de médecins se considèrent comme des techniciens et sont victimes de la mauvaise formation qu'ils ont reçue [1].

Cette situation n'est pas propre à la France. Le docteur Foley de New York reconnaît : « Donnez-moi un patient avec une hémorragie intestinale ou des fibrillations ventriculaires et je serai un modèle d'efficacité. Mettez-moi au chevet d'un mourant qui n'en finit pas de mourir et pour lequel il n'y a pas d'objectif à atteindre, moi qui jusque-là ai su être encourageant, qui ai su m'impliquer, je me retrouve muet, j'écourte mes visites [2]. »

Si les soins d'accompagnement ne sont pas plus généralisés, c'est donc au manque de formation des médecins qu'on le doit. Il ne s'agit pas seulement d'une lacune technique. Les médecins ne savent pas bien traiter la douleur. C'est un fait. Toutes les études le prouvent. Il faut donc qu'ils apprennent. Mais manier les antalgiques n'est pas suffisant. L'approche de la mort demande un véritable humanisme, des qualités d'écoute et de cœur, une sagesse, une capacité de discernement. Faut-il que notre monde se soit enfoncé dans l'illusion des progrès économiques et techniques, faut-il qu'il se soit coupé des valeurs dites humaines pour qu'on

1. Entretien avec le professeur Glorion, 29 mars 1999.
2. XIe congrès international des soins aux malades en phase terminale, Montréal, 7-11 septembre 1996 : communication.

doive apprendre aux médecins à s'asseoir sur le lit d'un malade, à lui prendre la main, à engager avec lui un dialogue ouvert et confiant sur sa maladie et peut-être sa mort ? Ce rôle-là, que leurs aînés savaient tenir, les jeunes médecins d'aujourd'hui le refusent pour la plupart. Ils font de la médecine derrière leurs appareils sophistiqués et leurs ordinateurs. Ils le délèguent aux infirmières. Eux, ils n'auscultent plus que si rarement leurs patients ! Le médecin de famille qui collait son oreille contre votre dos, pendant que vous toussiez, ou qui vous palpait doucement le ventre se fait si rare aujourd'hui. Et pourtant ce sont ces contacts qui feraient tant de bien aux mourants assoiffés de chaleur humaine.

Cette proximité du médecin que tout le monde aimerait retrouver, cette bonne présence rassurante, pourquoi donc fait-elle défaut aux mourants, quand elle pourrait rompre la solitude, apporter un peu d'apaisement ? On sent bien qu'il ne s'agit pas simplement d'une formation, d'un apprentissage. Il faut de la compassion, et celle-ci ne s'apprend pas. Elle s'impose quand on est acculé à ses limites, quand on se découvre impuissant et qu'on n'a pas peur d'en souffrir. Elle se découvre aussi lorsqu'on est personnellement confronté à la mort d'un être cher et qu'on en souffre. Xavier Emmanuelli [1] ne reconnaît-il pas que c'est la disparition de son père

1. Xavier Emmanuelli, ancien ministre, dirige le SAMU social. Entretien du 1er avril 1999.

qui lui a permis de devenir un vrai médecin ? Il faut sans doute avoir souffert de son impuissance à empêcher la mort pour comprendre de l'intérieur ce dont un mourant a besoin. Les médecins ne savent pas créer cet espace de permission qui permettrait au mourant d'accepter son destin.

Bien des jeunes médecins m'ont confié qu'ils avaient beaucoup évolué, beaucoup changé au contact du sida, dans les années où l'on ne pouvait pas grand-chose pour les malades. Leur impuissance à guérir leur a ouvert d'autres portes, celles de la compassion notamment. Ils ont appris à voir leurs patients autrement. Ils ont découvert que ces derniers avaient des ressources cachées, malgré l'épée de Damoclès qui restait brandie constamment au-dessus d'eux. Cette reconnaissance de la capacité humaine à porter sa souffrance les a aidés à accepter leurs propres limites.

Pourquoi ce qui a été possible pour ces médecins confrontés au sida ne le serait-il pas pour tous les autres ? Ne pourrait-on revenir à plus d'humilité ? Accepter de ne pas être tout-puissant ? Réfléchir à sa condition d'être humain mortel et en tirer la leçon ?

Il y a d'énormes résistances dans les milieux médicaux. Autant les infirmiers et infirmières sont désireux de formations qui leur permettent de mieux prendre soin des mourants, autant les médecins, pour un grand nombre, se désintéressent de cette question. Le professeur Glorion en convient. N'a-t-il pas constaté que, sur sept cents personnes venues l'écouter parler de l'accompagnement à domicile, seuls cinq ou six médecins étaient présents. Je peux, moi aussi, témoigner de ce désintérêt. Invitée par l'Association SP2 de Saint-Priest, dans la banlieue de Lyon, j'ai parlé devant six cents personnes. Bien que le président de l'Association invitante, le docteur Verborg, ait été un généraliste, quatre ou cinq de ses confrères seulement se trouvaient dans la salle ce soir-là. Quelle déception !

Les médecins ne veulent pas reconnaître leur incompétence. Un des meilleurs indicateurs de cette résistance, c'est leur réticence à faire appel aux équipes mobiles de soins palliatifs. Mises en place dans les hôpitaux pour épauler les médecins en difficulté, ces équipes sont loin d'être sollicitées autant qu'elles pourraient l'être.

Une infirmière cadre, responsable d'une de ces équipes [1], me parle des difficultés qu'elle rencontre :

– On est très mal acceptés. Les médecins vivent mal notre intervention. On vient mettre notre nez dans leurs traitements, poser des questions... Ils n'aiment pas ça ! On a une démarche de pensée qui n'est pas la leur. Ils sont centrés sur le biologique, les chances de guérison. Et nous, nous venons mettre le doigt là où ça fait mal. On vient leur parler du désir du patient, de la nécessité de l'informer. On leur demande leur collaboration, et c'est ce qui

1. L'infirmière a préféré garder l'anonymat. Entretien du 7 mai 1999.

est difficile. Ils préféreraient, à la limite, qu'on prenne en charge leur malade, qu'on les en débarrasse.

– Mais ce n'est pas notre manière de travailler. Nous intervenons seulement s'il y a un consensus sur notre intervention. On a besoin d'un minimum de collaboration pour travailler.

Non seulement cette collaboration est difficile à obtenir, mais bien souvent les prescriptions ne sont pas respectées.

– On assiste à des escalades dans les prescriptions de morphine.

Cette infirmière pense que l'euthanasie existe et existera sans doute toujours dans les services qui ne s'ouvrent pas à une démarche globale. La forme actuelle de l'euthanasie, rappelons-le, ce n'est pas la pose d'un cocktail lytique, c'est l'augmentation des doses de morphine et de barbituriques. Une forme discrète, déguisée, difficile à identifier.

Une de mes amies, médecin dans un service de maladies infectieuses d'un hôpital parisien, se plaint que ses prescriptions sont systématiquement modifiées par son supérieur hiérarchique, qui ne supporte pas l'angoisse des patients. Formée aux soins palliatifs, elle attache une grande importance au dialogue avec ses patients. Elle s'est adjoint une psychologue qui ne lésine pas sur le temps qu'elle passe au chevet des malades, à l'écoute de leurs souffrances morales. Elle préfère donc écouter, dialoguer qu'assommer ses patients de calmants.

Or cette approche, si rare de la part d'un médecin, n'est ni respectée ni valorisée par celui qui supervise le service et qui met systématiquement sous Hypnovel [1] et morphine tout malade qui arrive en fin de vie. On fait taire ainsi pour toujours ces malades angoissés, qui avaient commencé à parler, et qui dorment désormais sous leurs draps bien tirés, pour la paix du service et le confort des soignants !

Les médecins pensent qu'ils font du « soin palliatif » à partir du moment où ils prescrivent de la morphine ou des barbituriques. La plupart n'acceptent pas l'idée que de « bons soins palliatifs » supposent une évaluation correcte de la souffrance du malade, et une approche qui n'est pas seulement médicamenteuse.

– Ils ne supportent pas qu'on se mêle de leur relation avec leurs patients... Alors, ils basculent de l'acharnement thérapeutique à l'euthanasie [2].

Cette infirmière n'est pas très optimiste. Elle a travaillé un temps dans une unité de soins palliatifs, mais ce qu'elle a appris là, « cette autre dimension du soin, cette disponibilité, cette douceur », elle ne peut pas la mettre en pratique dans son équipe mobile. « On est dans l'effectif des soins palliatifs, pas dans l'affectif. »

Pourquoi cette résistance des médecins ? J'insiste auprès de Bernard Glorion, car j'aimerais

1. Psychotrope puissant.
2. Entretien du 7 mai 1999.

comprendre. Il avoue ne pas savoir comment répondre à ma question. Son hypothèse est que les médecins traversent une période difficile. Ils sont inquiets parce que leur métier ne s'exerce plus dans les mêmes conditions qu'avant. « Ils n'ont pas l'esprit porté aux soins palliatifs. »

Pour autant, il n'est pas pessimiste. Il croit qu'en « remettant à plat » la formation des médecins, en intégrant plus de sciences humaines dans les études de médecine, on pourra développer des réflexes éthiques, susciter une réflexion personnelle et existentielle. Il croit à une évolution des généralistes, grâce aux réseaux de soins qui sont en train de se créer entre l'hôpital, les médecins traitants, les infirmières à domicile, les associations de bénévoles. Et puis, il y a de l'espoir dans la revalorisation de ce qu'on appelle maintenant « la médecine de proximité ». En concluant les États Généraux de la santé, le 30 juin 1999, Lionel Jospin n'a-t-il pas annoncé une modification des études médicales ? L'homme est replacé au cœur du cursus universitaire et le médecin doit être « proche de son malade ».

« Il ne faut pas baisser les bras », conclut le professeur Glorion, qui n'est certes pas prêt à abdiquer. Selon ses propres termes, il est parti en croisade, aidé par sa femme Françoise Glorion, qui préside l'Association JALMALV [1] dont l'objectif

---

1. JALMALV : Jusqu'à la mort accompagner la vie ; une des grandes associations qui forment des bénévoles aux soins d'accompagnement.

est double : contribuer à une culture des soins d'accompagnement et former des bénévoles.

En effet, faire porter aux seuls médecins la responsabilité de l'inhumanité des fins de vie serait injuste. C'est toute la société, et les familles en premier lieu, qui a perdu le souci des mourants et manque à son devoir d'accompagnement. Il s'agit bien de développer une nouvelle culture de la mort et du mourir, de recréer des réflexes de solidarité, pour que, comme le demandait François Mitterrand lors de l'ouverture du 1er Congrès européen des soins palliatifs, « partout où l'on meurt en France, on soit mieux soigné et moins seul ».

Il ne s'agit pas de créer de nouveaux « lits » de soins palliatifs. Le professeur Glorion n'y est pas favorable : « On n'a pas besoin de lits. On a besoin de gens formés. Moi, mon lit de soins palliatifs, c'est mon lit, et ce qui comptera quand je serai en train de mourir, ce n'est pas le statut de mon lit, c'est les gens qui seront autour. »

On peut se réjouir que le Parlement ait voté à l'unanimité une loi pour « le droit d'accès pour tous aux soins palliatifs ». Parmi les mesures nouvelles, la création d'un « congé d'accompagnement » pour les proches facilitera, je l'espère, la présence des familles auprès de celui qui meurt. Mais bien d'autres mesures seraient encore nécessaires pour valoriser la démarche des soins d'accompagnement, notamment la prise en charge par la Sécurité sociale de l'aide psychologique dont les familles et

les soignants ont besoin dans ces moments doulou-
reux. La conviction du président du Conseil de l'ordre des médecins est que, en développant cette culture des soins d'accompagnement, la question de l'euthanasie devrait disparaître.

3.

Une ultime tentative de communication

Il a été question jusqu'ici d'euthanasie clandestine, donnée à l'insu des malades, par des proches ou des soignants qui ne supportent plus de voir souffrir un agonisant.

Il faut évoquer maintenant les situations où c'est le patient lui-même qui demande d'en finir. « Docteur ! je veux mourir, j'en ai assez ! Ce n'est plus une vie ! » Cette demande est qualifiée un peu hâtivement d'euthanasie. Elle masque en fait une souffrance physique ou psychique qui pourrait être soulagée. C'est un appel au secours. Quand un malade dit : « Finissons-en ! », comment le comprendre ? « Finissons-en avec la vie » ou « Finissons-en avec cette douleur, avec cette angoisse, avec cette solitude » ?

Le professeur Chochinov[1], psychiatre

---

1. « Demandes d'euthanasie et perspectives psychiatriques », XIe congrès international sur les soins aux malades en phase terminale, Montréal, 7-11 septembre 1996.

américain, affirme, à partir d'une recherche qu'il a effectuée auprès de personnes en fin de vie, que 80 % des personnes qui réclament une mort anticipée ont des douleurs mal soulagées, et 60 % sont gravement déprimées. Chez ces personnes, le désir de vivre et le désir de mourir fluctuent constamment. Ils sont susceptibles de changer à tout moment, et notamment en fonction de la qualité des soins, de l'accompagnement ou de la disponibilité des familles. Lorsque la douleur ou la dépression sont traitées, la demande disparaît.

Mais la douleur ou la dépression ne sont pas seules en cause. La perte d'estime de soi, le sentiment d'être une charge pour son entourage, la honte d'avoir à offrir aux autres une image de soi dégradée engendrent, en effet, le sentiment que la vie ne vaut plus la peine d'être vécue. « Ce n'est plus une vie ! », ou bien : « Je ne suis plus bon à rien », voilà comment les malades justifient leur désir d'en finir. Il s'agit d'une véritable dissolution du sentiment d'identité dans la douleur physique et la souffrance morale. Parce que son image se modifie, le malade a l'impression de n'être plus lui-même. Ce peut être d'autant plus fort que l'entourage, confronté à sa propre angoisse, ne sait pas toujours combattre ce sentiment de dépersonnalisation du malade. On sait combien cette souffrance-là, de se voir diminué, dépend aussi de la façon dont les malades se sentent considérés par leurs proches et par les soignants. Un malade diminué perçoit tout. Il sent les regards gênés, le malaise, le dégoût. Il a vite fait de comprendre le sens des visites qui s'espacent. La pudeur, la discrétion, une certaine humiliation, on trouve un peu de tout cela dans la souffrance de celui qui préfère partir vite, pour ne plus déranger les autres. Allons-nous le confirmer dans sa « non-valeur » en accédant à son souhait d'euthanasie ? Ce serait alors le faire mourir deux fois, nous dit Emmanuel Goldenberg [1] : symboliquement et réellement. « Symboliquement, en le laissant croire à sa déchéance et à l'inutilité de sa vie, réellement parce que cela conduit souvent à hâter la survenue de la mort naturelle... On tue ainsi le sentiment d'identité puis la personne elle-même. »

Ainsi, lorsque quelqu'un réclame la mort, est-ce ce qu'il désire profondément ? N'exprime-t-il pas, en sourdine, une tout autre demande : de relation, d'engagement, d'amour, que nous ne savons pas entendre ?

Vouloir n'est pas désirer

Au début de ma carrière de psychologue, j'ai travaillé dans le cadre de consultations de planification familiale, à l'écoute de femmes en détresse parce qu'elles attendaient un enfant dont elles ne

1. Emmanuel Goldenberg, « Mort, Angoisse et Communication », Ier congrès de l'Association européenne de soins palliatifs, octobre 1990, Paris.

voulaient pas. C'était en 1976, juste après la loi Veil sur l'interruption volontaire de grossesse. J'avais complété mes études de psychologue clinicienne par une formation au sein de l'Association pour l'étude des problèmes de la naissance (AEPN) présidée alors par Arnaud Marty-Lavauzelle, que j'ai retrouvé bien des années plus tard alors qu'il venait de prendre la présidence de AIDES. L'AEPN se tenait à distance des courants militants pour ou contre l'IVG. Elle se voulait non polémique, *à l'écoute* du désir des femmes, des mouvements contradictoires de leur âme. Elle était évidemment d'orientation psychanalytique. Je dois beaucoup à ceux qui m'ont formée là, notamment à Guy Maruani et Jacques Miermont aux côtés de qui j'ai travaillé plusieurs années. Ils m'ont appris à écouter l'autre, tout en restant attentive à mes propres affects, condition minimale pour respecter la personne sans projeter sur elle ses propres émois. Il ne s'agissait donc pas d'influencer les femmes en demande d'IVG dans un sens ou dans un autre. Il s'agissait de leur offrir l'écoute la plus vaste possible pour qu'elles aient une chance d'être moins seules face à leur décision, une chance de s'y retrouver au milieu des contradictions internes qui ne manquaient pas de les tourmenter, même si elles étaient fermement décidées à mettre un terme à leur grossesse. La loi Veil prévoyait deux entretiens à une semaine de distance avec une psychologue ou une conseillère formée. Ce sont ces entretiens que j'ai menés pendant sept ans, dans des dispensaires d'aide sociale. Je le répète, ces entretiens n'avaient pas pour objectif de faire changer les femmes d'avis. Je me bornais à pointer les éléments de leur histoire qui les empêchaient de faire une place à cet enfant, pour qu'ils ne restent pas définitivement dans la nuit. Rarement les femmes ont changé d'avis, mais souvent elles m'ont remerciée de les avoir aidées à repérer ce qui venait faire obstacle à un désir plus profond, à comprendre les raisons souterraines de leur choix, à assumer leur ambivalence. Car, derrière ce « vouloir ne pas garder l'enfant », il y a un désir inconscient d'enfant. Le reconnaître est important. Cela permet de ne pas banaliser, ni aplatir une décision qui de toute façon pèse son poids dans la vie d'une femme.

C'est donc là que je me suis formée à l'écoute de l'*ambivalence humaine*. Nous voulons, nous décidons, en fonction de certaines représentations de nous-mêmes ou du monde qui nous entoure, ou sous l'effet de nos peurs conscientes ou inconscientes, mais notre âme parfois aspire à autre chose. On comprend en quoi ce passage au contact de femmes *voulant* mettre un terme à leur grossesse m'a formée à l'écoute de ceux et celles qui, à un moment donné de leur agonie, *veulent* qu'on en abrège le cours.

Écouter l'ambivalence d'une demande d'euthanasie, c'est lui donner son poids, c'est la prendre au sérieux. Mais ce n'est pas nécessairement la prendre au pied de la lettre, ni la mettre en acte. C'est reconnaître la souffrance sous-jacente : la détérioration insupportable, la révolte, la lassitude, la solitude, la peur d'être un poids pour les autres. C'est reconnaître la demande d'amour qui nous est adressée, la tentative désespérée de nous atteindre dans notre vulnérabilité, sans doute pour se sentir moins seul.

Besoin, demande et désir

Est-il besoin de rappeler la distinction lacanienne entre besoin, demande et désir ? Lorsqu'un mourant souffre de douleurs intolérables ou de solitude, son besoin est de recevoir les antalgiques, les soins de confort nécessaires et d'avoir quelqu'un à qui parler. Sa demande sera d'être soulagé de ses douleurs, et de recevoir l'écoute, l'attention qui peuvent combler son besoin de présence, et apaiser son angoisse. Quant au désir qui inclut les aspirations, les émotions, les fantasmes inconscients qui habitent chaque être, il est toujours désir de quelque chose de neuf, désir de dépassement. « Ce qui signe le désir c'est ce qui n'est pas connu », disait Françoise Dolto. Au-delà du besoin, qui est répétitif, et de la demande, qui est demande d'amour, le désir est donc désir de dépassement de soi, de découverte. C'est pourquoi un autre psychanalyste, Michel de M'uzan [1], commente les observations de plusieurs psychothérapeutes ayant accompagné

1. Michel de M'uzan, *De l'art à la mort*, *op. cit.*

des mourants dans leurs derniers moments, en soulignant le regain de vitalité de ces personnes au seuil de la mort, leur « appétence relationnelle ».

« Le thème de la mort exerce sur nous une telle fascination qu'on en oublie de s'interroger sur le sort de la libido, dont les mouvements, à l'approche de la fin, sont pourtant tout aussi dignes d'attention que ceux qui ont présidé aux débuts de la vie. Pour ma part, j'ai toujours été frappé par le fait que ce qui nous échappe si souvent est parfaitement perçu et compris par le personnel infirmier ou un entourage médical attentif. À la veille de leur mort ou dans les heures qui la précèdent, le comportement de certains patients laisse déduire un surprenant élan pulsionnel, une avidité régressive [1], presque... un embrasement du désir [2]. »

Le désir de mourir est à la fois un désir de repos pour le corps biologique qui n'en peut plus, et désir inconscient d'une vie plus vaste, désir de libération, désir « de découverte du réel [3] ».

Il convient donc de repérer ces différents

---

1. Ce que les soignants appellent « le mieux de la fin », et qui se manifeste souvent par des envies gastronomiques comme le désir de manger des huîtres ou de boire du champagne.

2. J'ai décrit certaines de ces passions *in extremis* dans *La Mort intime*, Robert Laffont, 1995.

3. « Le réel est hors temps et espace. Il est abordable par l'art, la musique, la peinture, l'architecture, la danse ; il est abordable dans des moments de grâce extraordinaire où l'on éprouve quelque chose de l'ordre d'une beauté, d'une découverte inconnaissable. » Françoise Dolto, conférence donnée le 16 octobre 1985 à l'EPCI (École de propédeutique à la connaissance de l'inconscient).

niveaux, le besoin, la demande, le désir, quand on reçoit « la demande d'en finir » de quelqu'un qui est arrivé au seuil de la mort. Ses besoins sont-ils respectés, satisfaits ? Est-il suffisamment soulagé de ses douleurs, respecte-t-on son rythme, son intimité, consacre-t-on assez de temps à l'écouter ? Lui permet-on de libérer ses émotions ? Accepte-t-on de parler avec lui de son désir de mourir ou de son angoisse ?

Que demande-t-il au-delà de la satisfaction de ses besoins ? Quelles sont les vraies questions qui nous sont adressées ? « Suis-je encore digne d'intérêt et d'amour, alors que je ne corresponds plus à l'image que j'ai donnée jusque-là dans ma vie, maintenant que je ne peux plus rien faire, que je suis physiquement détérioré ? Est-ce que je ne pèse pas trop lourd sur les autres ? Ne suis-je pas devenu un poids inutile ? Est-ce que je fais toujours partie de la communauté des vivants ? »

Entendre cette demande d'amour, à l'intérieur de la demande d'en finir, est capital. « Ainsi, lorsqu'il réclame que l'on hâte sa fin, [le mourant] trouve dans le même temps le moyen d'exprimer en sourdine une tout autre demande, qu'il faut savoir déchiffrer. Profondément, le mourant attend qu'on ne se soustraie pas à cette relation, à cet engagement réciproque qu'il propose presque secrètement, parfois à son insu, et dont va dépendre le déroulement de son travail du trépas [1]. »

---

1. Par « travail du trépas », Michel de M'uzan entend « le dernier effort pour assimiler tout ce qui n'a pas pu l'être jusque-là

Il y a donc une demande d'amour, dont l'enjeu est d'autant plus important que le désir sous-jacent est un désir d'aller à la découverte de quelque chose de neuf. Que se passe-t-il quand l'entourage, les proches, les soignants ne peuvent y répondre ?

Que se passe-t-il lorsque le mourant, qui a des antennes particulièrement fines, sent que les autres l'ont déjà symboliquement enterré, que ceux qu'il aime, et qui se tiennent effrayés et mal à l'aise au chevet de son lit, se sont déjà retirés ? Alors, de déception, de honte, de lassitude, sa demande d'amour va se charger de haine, et il va se replier sur lui-même, rompre la communication ou bien demander la mort.

Une déception de communication

Comme l'écrit Françoise Dolto [1], demander la mort et la donner, « c'est une communication manquée. Une déception de communication ». « Les humains ne communiquent pas assez les uns avec les autres. Ils sont pris dans les fantasmes de la mort de l'autre. Qui ne sont pas du tout des pulsions de mort, mais des pulsions d'agressivité visant

---

dans sa vie pulsionnelle, comme s'il tentait de se mettre complètement au monde avant de disparaître ». Dans *De l'art à la mort*, *op. cit.*

1. *En face de la mort*, communication de Françoise Dolto, Privat, 1983.

l'autre qui déçoit. » On est donc pris dans le fantasme agressif de l'autre. On se déçoit mutuellement... Car il y a toujours une agressivité inconsciente dans la demande de mort, une immense déception : « Tue-moi, puisque tu ne peux plus rien pour moi, puisque ma vie n'a plus de sens pour toi, puisque je ne suis plus bon à rien ! » C'est une mise en cause du fantasme de puissance dans lequel nous sommes tous pris, et on va réagir comme piqué au vif : « Tu me renvoies mon impuissance à la gueule. On va voir ce qu'on va voir. Oui, je vais te tuer, et récupérer un peu de cette puissance que tu viens de me retirer. »

Cette dimension d'agressivité dans la demande d'euthanasie est généralement passée sous silence. Celui qui la reçoit ne la perçoit pas toujours consciemment. Mis en échec par celui qui réclame la mort, le soignant se sent coupable, et tente d'échapper à cette culpabilité en prenant la fuite ou au contraire en s'exécutant. Ce qui est une façon, nous l'avons vu, de retourner cette agressivité à son envoyeur.

Tous ces mécanismes inconscients viennent pervertir la relation. Si nous en avions davantage conscience, nous pourrions refuser d'être ainsi instrumentalisés par la demande mortifère des patients.

Chaque fois que je me trouve confrontée à cette plainte : « Ma vie n'a plus de sens ! Je n'en peux plus, je veux mourir », je repense à cette réflexion de Françoise Dolto [1] : « Il y a d'un côté la pauvre bête – nous sommes tous des mammifères – qui se traîne et qui n'a plus le courage de vivre, mais celui qui parle, qui échange avec un autre, celui-là veut rencontrer quelqu'un qui lui dit : “Mais alors pourquoi survivez-vous ? Qu'est-ce qui vous fait vivre puisque vous dites que vous n'en pouvez plus ? Pour qui, pour quoi vivez-vous ? Pourquoi vous ne mourez pas ?” » Il ne s'agit pas de faire écho à la plainte du mourant, de l'entretenir, mais de l'aider à en sortir en le confrontant à ce qui le maintient encore en vie, à son désir, malgré la volonté de mourir. Il s'agit de lui montrer qu'il n'est pas un « déjà-mort » mais un vivant dont les derniers instants ont leur importance pour nous. Un jeune garçon de dix-sept ans m'a affirmé, après la mort de son père, qu'il n'aurait pas aimé qu'on lui retire les derniers mois de sa vie, même s'ils ont été particulièrement éprouvants. « Pendant ces derniers mois, j'ai appris à le connaître », dit-il simplement.

Répondre à l'interrogation anxieuse du malade : « Ta vie compte pour moi, ce qui se passe entre toi et moi a de l'importance pour moi, et chaque moment est précieux », ouvre à la possibilité de faire quelque chose de l'angoisse qui a suscité la question. L'angoisse, on le sait, c'est de l'énergie chaotique. Une énergie qui n'est reliée à rien. « Dès que j'ai su qu'elle allait mourir, j'ai eu envie d'aller le plus loin possible dans la relation avec elle »,

1. Conférence donnée à l'EPCI, 16 octobre 1985.

confie une femme en parlant des derniers moments de sa mère. Notre réponse ouvre ainsi la porte à cette possibilité. Cette réponse n'a pas besoin d'être communiquée verbalement. Elle se traduit par les gestes, les attitudes, les regards, une manière d'être et de soigner. Comme j'en ai fait si souvent l'expérience moi-même, on peut par des « impulsions confirmantes » rendre à une personne le sentiment de sa dignité, et par là même atténuer considérablement l'angoisse des derniers instants.

Suis-je encore une personne ?

Je voudrais évoquer ici deux histoires, deux réponses possibles à une demande d'euthanasie motivée par une profonde détérioration physique, et le sentiment d'avoir perdu toute dignité.

La première histoire se passe en Allemagne au milieu des années 80, dans une clinique près de Munich. Un médecin, le docteur Julius Hacketal, y pratique l'euthanasie, bien qu'elle soit illégale en Allemagne. Lorsque ses patients estiment que leur vie ne vaut plus la peine d'être vécue, il les aide à mourir. Il estime qu'en agissant ainsi il traite ses patients comme il traiterait son meilleur ami. Il respecte leur libre arbitre.

La douleur mal soulagée est loin d'être la principale cause des demandes d'euthanasie qu'il reçoit. Pour lui, ces demandes sont motivées par le sentiment que la vie ne vaut plus la peine d'être vécue.

Ce sentiment, le patient est le seul à pouvoir en juger.

J'ai vu le film que le docteur Hacketal a tourné lui-même dans sa clinique Eubios [1], pour justifier sa pratique. On voit arriver une femme au visage déformé. Elle fait effectivement peine à voir. Elle est atteinte d'un cancer de la face, opéré de multiples fois, et qui atteint maintenant des proportions insoutenables. Elle souffre, elle le dit, jour et nuit. Elle n'éprouve que dégoût pour elle-même.

Lorsqu'on regarde ce visage, on sent sa souffrance. On sent aussi qu'on peut être facilement fasciné par l'horreur, par l'image de l'horreur, qu'on peut se sentir coupable d'avoir un visage sain en train de regarder ce visage monstrueux.

Ce qui me frappe, c'est qu'à aucun moment cette femme ne demande qu'on la tue. Elle dit sa souffrance, elle dit qu'elle a atteint la limite de ce qu'elle peut supporter, mais elle nous dit surtout que les autres, les médecins, ne peuvent plus supporter de la voir ainsi. « Un médecin m'a dit qu'on ne pouvait plus rien faire. Il a dit : “On ne peut pas continuer à vous charcuter comme ça, on ne peut pas vous enlever tout le visage, quand même !” » Elle porte donc, en plus de sa souffrance à elle, celle du médecin qui se sent impuissant devant elle et ne voit plus qu'une solution, l'aider à mourir.

---

1. Ce film a été projeté lors de la communication d'Emmanuel Goldenberg au Ier congrès européen de soins palliatifs à Paris, 1990.

Dans ce dialogue, on voit à quel point la demande d'euthanasie est induite par l'impuissance du médecin. Bien sûr, elle songe au suicide, et l'offre qui lui est faite est pour elle une issue. C'est pourquoi elle remercie le médecin. Mais ce film laisse néanmoins un profond malaise.

Et si ce n'était pas la bonne réponse ? Si cette femme attendait autre chose, un peu de compassion, de tendresse ? Si elle attendait qu'on lui fasse sentir que, malgré l'altération de son visage, elle reste aux yeux des autres une sœur humaine ? Si elle attendait qu'on lui confirme qu'elle a sa place dans le monde des vivants, même dans l'état affreux où elle se trouve ?

Hacketal ne l'écoute pas, il lui coupe la parole. On sent combien il l'instrumentalise. Finalement, il annonce qu'il tiendra sa promesse : ce soir ! On frémit à cette parole qui sonne comme un verdict, comme une condamnation à mort. Pas un mot, pas un regard, pas un geste de compassion pour apaiser la solitude de cette femme. Pas l'ombre d'un contact chaleureux !

Comment cette femme aurait-elle réagi si un médecin était venu près d'elle, lui avait pris la main, l'avait regardée avec compassion, et lui avait dit : « C'est vrai, on ne peut pas continuer à vous charcuter comme ça, mais je peux m'engager à vous soigner jusqu'au bout, à soulager vos douleurs, à vous assister avec mon équipe pour que vous ne vous sentiez pas seule ni abandonnée. Il ne vous reste sans doute plus très longtemps à vivre, car la maladie évolue, mais ces derniers jours ou ces dernières semaines, ce sera un honneur pour nous d'entourer et de s'occuper d'une femme aussi courageuse que vous » ?

Si elle avait entendu cela et si elle y avait cru, cette femme n'aurait-elle pas renoncé à mourir prématurément ?

Bernard Martino, que je voyais beaucoup à l'époque où sa remarquable série « Voyage au bout de la vie [1] » a été diffusée, me racontait à propos de ce médecin allemand que c'était un homme très émotif, qui avait sûrement de grosses difficultés à supporter l'angoisse de ses patients. Son obsession du bonheur en témoignait. N'avait-il pas baptisé sa clinique « Clinique de la vie heureuse » ? On pourrait croire qu'il a administré lui-même le cyanure de potassium à cette femme. En fait, il a confié le produit au gendre de sa patiente, et a demandé à sa femme de rester avec elle. C'eût été trop dangereux – et peut-être aussi trop éprouvant – pour lui d'être mêlé trop directement à cette mort. Il a donc attendu dans son bureau que la chose soit faite, avec des sueurs froides, car il imaginait que, pour toutes sortes de raisons, le produit n'agirait pas, ou serait mal avalé. Il lui faudrait alors exécuter cette femme d'une autre manière. Il était donc tout occupé de sa peur d'avoir contrevenu à la loi, alors que cette femme, sa patiente, était en train de mourir. Dès

1. En 1987 sur Antenne 2, et dont il a tiré un livre du même titre, édité par Balland en 1987.

qu'elle est morte, on l'a appelé. « C'est la première fois que je ne l'entendais plus se plaindre », a-t-il avoué à Bernard Martino. Dans cet aveu, on sent bien que c'était cela qu'il ne supportait plus, la plainte de cette femme.

J'ai souvent repensé à la patiente de Julius Hacketal chaque fois que je suis allée voir Marie-France. Même visage mutilé, même souffrance. Sentiment d'être devenue un monstre, souffrances physique et morale mêlées. Angoisse extrême suintant tout entière d'une question à peine formulée : « Suis-je encore un être humain à vos yeux ? » Marie-France a 82 ans. Une tumeur de la parotide. Il a fallu charcuter le visage. Maintenant tout le côté gauche est gonflé, tuméfié, la joue est cartonnée, l'œil à demi fermé. « Avez-vous déjà vu quelqu'un de plus repoussant que moi ? » demande-t-elle au médecin. Comment s'étonner qu'elle ne puisse accepter son image et qu'elle veuille en finir au plus vite ? De plus, elle souffre. Des douleurs neurogènes qui n'ont pas été vraiment calmées jusque-là. Elle demande donc qu'on l'aide à mourir, vite.

C'est la première fois que je vois une telle horreur. J'en conviens, c'est horrible. Mais l'image de la patiente allemande me poursuit. Allons-nous froidement lui confirmer qu'en effet elle est devenue si monstrueuse qu'elle n'a plus sa place parmi les vivants que nous sommes ? Allons-nous « la tuer deux fois, symboliquement et réellement » ?

La démarche du médecin est d'abord de traiter la douleur, car elle est bel et bien là, et il sait combien, lancinante, elle peut être source de dépression. Il s'y attelle donc et, en quelques jours, réussit à l'atténuer. Premier effet, Marie-France dort mieux la nuit. Mais la souffrance morale persiste, et la demande d'en finir aussi. Il faut donc en parler. Le médecin vient s'asseoir près d'elle. C'est si important ce geste de disponibilité qui dit peut-être à lui seul infiniment plus que les paroles qui vont suivre.

– Ce que vous me demandez, je peux le comprendre mais je ne peux pas le faire.

Elle lui coupe la parole.

– Oh ! je sais que ça ne se fait pas en France.

– Non, pas parce que ça ne se fait pas, pas parce que c'est illégal, mais parce que *je ne me sens pas* le droit de tuer mes malades.

– Même par pitié ? demande-t-elle.

– C'est un sentiment que nous n'aimons pas, la pitié. Chaque fois que les malades le prononcent devant moi, je réponds que j'ai trop d'estime pour eux pour éprouver de la pitié. C'est sans doute provocant, mais ça les fait réfléchir.

Le médecin s'est contenté de poser ses limites à lui et de lui dire clairement ce qu'il pouvait faire pour elle : essayer de la soulager, mais aussi essayer de rompre cette solitude dans laquelle il la sent. Elle a frémi, car il a mis le doigt sur ce qui lui fait mal, sa solitude. Oui, elle est seule, non pas tant parce qu'elle n'a pas de famille ni d'amis, mais parce qu'elle a fait le vide. Elle s'est repliée sur elle, refusant les visites, car elle ne veut pas leur imposer « sa déchéance ». Une seule amie a encore accès à sa chambre.

Cela, je vais le lui confirmer à mon tour. Les personnes que nous accueillons ici ne sont pas des numéros, ni des maladies à traiter, ce sont des personnes avec leur histoire, leur vie à finir. Et c'est important, les derniers instants d'une vie. Ça vaut la peine d'y prêter attention. Non ! nous ne sommes pas des machines à exécuter la mort, face à des corps-machines irréparables, bons à mettre à la casse ! Nous aussi, nous sommes des personnes, avec notre désir à nous. Pourquoi ne pas le reconnaître ? Et notre désir est un désir de vie, non pas désir de prolonger la vie au-delà de son terme, mais désir d'être du côté de la vie, pendant ce temps qui se termine.

J'entends déjà ceux qui vont s'écrier : mais quoi ? A-t-on le droit d'imposer à nos patients notre désir ? Quelle illusion de croire que notre désir n'est pas partie prenante de tout soin ! Ceux qui accèdent à la demande du patient de mourir sont-ils conscients du désir de mort qui les habite ? Je ne le pense pas.

Il ne s'agit pas d'imposer notre désir au patient, mais de lui en parler, avec humilité, pour qu'il l'entende, de même qu'il a le droit de nous parler du sien, pour que nous l'entendions. Il ne s'agit pas d'entrer dans un rapport de forces qui ne fait que bloquer davantage la situation, mais de dire au malade : Voilà comment je reçois votre demande, voilà mes limites, voilà mon désir, peut-on vivre quelque chose ensemble ?

– Je ne sais pas, a-t-elle répondu honnêtement, mais je ne veux pas que cela dure longtemps.

– Au stade où vous êtes arrivée, avec une tumeur qui évolue si rapidement, croyez-vous que cela va durer indéfiniment ?

Dire qu'elle n'a pas réitéré sa demande de mourir serait faux. Des chutes répétées la nuit pour aller seule aux toilettes, alors qu'on lui a demandé d'appeler l'infirmière, sont peut-être des tentatives d'accélérer les choses. À moins qu'il ne s'agisse d'une façon d'attirer l'attention ? Elle s'en défend, s'excusant de donner du travail aux soignants. Teste-t-elle leur sollicitude ? Voyons un peu si cela tient la route, ce que lui a dit le médecin au sujet de ce fameux désir de respecter le temps qui reste à vivre parce qu'il est précieux ! On la voit osciller entre la plainte – elle pleure encore souvent en réclamant de partir au plus vite – et l'expression d'une forme de gratitude pour la gentillesse et la délicatesse des soins qu'elle reçoit. Plusieurs fois, je me demande si nous ne sommes pas dans une forme d'acharnement affectif, mais, au moment où je me pose la question, elle cesse de se plaindre et commence à vouloir sortir de sa chambre, à rencontrer d'autres patients, ce qu'elle n'a jamais fait jusque-là. Elle s'est prise d'affection pour une élève infirmière qui lui fait tous les jours son pansement sur le visage. Une fille gaie et disponible qui s'intéresse particulièrement à elle. Bref, elle semble retrouver un certain goût de vivre, et accepte enfin de recevoir la visite de sa famille. On la voit même participer à quelques-uns des moments conviviaux du service, le dimanche, quand malades et familles partagent gâteaux et champagne avec l'équipe soignante. Mais la maladie évolue, elle sent la mort venir enfin. Non sans une certaine angoisse. La crainte de finir dans une hémorragie cataclysmique est là, justifiée, car une artère peut se fissurer à tout moment. Et puis, elle a de plus en plus de difficultés à avaler. Soulager cette angoisse est devenu la priorité. Aussi le médecin lui propose-t-il de la faire dormir si elle le souhaite. Elle le demande. La voilà qui dort paisiblement, veillée par son amie, et par les soignants qui se relaient à son chevet. Vingt-quatre heures d'une veille paisible avant qu'elle ne s'éteigne tout doucement. Une musique l'accompagne, car elle est mélomane.

Cette agonie a duré presque deux mois. Certains disent : « À quoi ça sert, l'agonie ? » Quel sens cela a-t-il de la laisser ainsi se dérouler ? Pourquoi ne pas l'abréger, surtout quand la personne le demande ? La réponse est dans la gratitude que cette vieille femme a tenu à exprimer quelques jours avant de mourir. « Je suis heureuse d'être venue ici, j'ai rencontré de la bonté chez vous tous. » Sa demande de mourir vite masquait une peur terrible, peur d'une agonie solitaire, sans tendresse et sans affection. Mieux valait mourir que vivre cet abandon.

Que la maladie change une personne, c'est un fait. Physiquement, psychiquement. C'est ce changement que les autres souvent n'acceptent pas. Parce que nous sommes dans une civilisation de l'image. « Je ne veux pas que mes enfants gardent ce souvenir de moi », entend-on. Nous sommes attachés à l'image à laquelle nous nous sommes identifiés quand nous étions en bonne santé.

Pourtant nous changeons, notre corps se transforme, nous devenons autre, parfois plus humble, plus doux, parfois plus acariâtre, plus tyrannique. C'est alors l'expression d'une souffrance.

Pourquoi faudrait-il rester le même ? N'y a-t-il pas dans ce désir quelque chose qui ne va pas dans le sens de la vie ?

Voir se dégrader quelqu'un que l'on aime est une épreuve. Je l'ai vécue plusieurs fois. Mais tant que la relation avec cette personne demeure, la relation est plus importante que les changements de son image.

Une incontournable violence

Il faut parler aussi de la violence. Pas seulement de la violence qui est faite aux mourants, mais de celle qu'ils nous font, à nous bien-portants, en mourant, en se dégradant, en nous demandant de leur donner la mort.

L'identification à l'agresseur est une manière de survivre à l'agression. Quand un malade se sent agressé par sa maladie et son destin, quand il se sent abandonné par la médecine et parfois par les siens, quand il sent que la violence qu'il subit n'est pas reconnue, mais étouffée, il n'est pas rare qu'il retourne cette violence contre les médecins, les infirmières, ou les proches, en devenant à son tour l'agresseur. En réclamant la mort, il cherche un ultime contact. Il cherche à atteindre l'autre, à le toucher. Il le force en quelque sorte à s'impliquer dans son histoire, une façon d'exister fortement à ses yeux.

Le sociologue Patrick Baudry nous propose une analyse de cette « incontournable violence [1] ». Ce n'est plus aujourd'hui la mort que l'on combat, mais le mourant que l'on supprime. Parce qu'il perturbe, qu'il dérange. N'est-il pas celui qui nous rappelle que nous aussi nous allons mourir ? Cela, nous ne le supportons pas. Nous faisons donc tout pour l'exclure, pour le neutraliser, pour le faire taire, alors que sa demande à lui est d'être reconnu comme un « vivant » jusqu'au bout. Quelle violence que cette exclusion ! Comme le fait remarquer Patrick Baudry, nos soins eux-mêmes peuvent être une violence dans la mesure où nous infantilisons le malade, où nous le traitons comme un déjà-mort, un faible, avec notre insupportable condescendance.

« Attention, amis médecins, au paternalisme :

1. Patrick Baudry, dans « La Mort à vivre », revue *Autrement*, p. 24.

vous êtes en charge de la santé de vos patients, mais non de leur bonheur, mais non de leur sérénité. Un mourant n'a-t-il pas le droit d'être malheureux ? N'a-t-il pas le droit d'être angoissé ? Qu'est-ce donc, dans ce malheur, dans cette angoisse, qui vous effraie à ce point [1] ? »

Le malade exige plus que des soins et une écoute, il exige « un échange qui remet en cause la division fonctionnelle entre bien et mal-portants ». Au lieu de cela nous sous-estimons l'énergie des malades, nous leur prêtons une faiblesse qui nous permet de les tenir à distance. Et « l'on veut d'autant plus croire en la faiblesse du malade que l'on sait sa puissance... et que l'on est "touché" par le désordre vital dont il est porteur ». « Sous couleur d'assistance bienveillante, il s'agit toujours d'éviter le "face à face" avec l'autre malade qui, de fait, est menaçant. Le rejet peut se transformer en sollicitude, en compassion manipulatoire, en aide et en écoute. » Mais le malade, ainsi réduit à sa faiblesse, à la menace qu'il représente, se venge. Il demande la mort, il met le soignant en face de son échec et de son impuissance. Il lui jette en quelque sorte sa violence à la figure, parce qu'au lieu de la reconnaître, on a tout fait pour la neutraliser.

Confronter cette violence, au lieu de la nier, voilà ce que le malade mourant attend de ceux qui le soignent et l'accompagnent.

---

1. André Comte-Sponville, *Petit Traité des grandes vertus*, PUF, 1998.

Dans l'unité de soins palliatifs où je travaillais, nous étions attentifs à cette incontournable violence. Nous avions remarqué, par exemple, que chaque fois qu'un ou une malade acceptait de témoigner devant des journalistes ou une caméra de télévision, avec le mandat plus ou moins implicite de « faire bonne figure », de rendre la mort « aimable » et « acceptable » pour le téléspectateur, nous ne manquions pas d'observer un retour de bâton dans les jours qui suivaient. Ainsi, une femme qui avait tenu un discours édifiant devant la caméra nous a surpris ensuite par sa réaction. Elle qui ne s'était jamais plainte de douleurs s'est mise à souffrir de manière intolérable, reprochant aux médecins leur incompétence à la soulager. Ensuite, ce sont des délires de persécution qui sont apparus. Elle voyait des SS et des « flics » partout dans la chambre. Devant un tel tableau, il a fallu l'endormir, la faire taire en quelque sorte. Elle est morte quelques jours plus tard, dans ce sommeil que l'on avait induit. C'était, il faut le préciser, dans les premiers temps après l'ouverture du service. L'équipe avait encore beaucoup à apprendre. Deux pistes de réflexion se sont dégagées de cette triste histoire. La première nous a imposé la vigilance : ne pas se servir des patients pour « passer un message » médiatique, qui forcément exclut la violence du mourir, puisque de cela personne ne veut entendre parler. La seconde concerne la difficulté pour tous, à l'intérieur d'une équipe, d'entendre la violence des sentiments et des émotions des malades, et de la reconnaître.

J'ai toujours présente à l'esprit cette histoire que m'a racontée un jour un médecin généraliste. Il rendait tous les jours visite à une femme en phase terminale d'un cancer du sein. Cette femme n'avait jamais accepté que sa gynécologue n'ait pas su dépister son cancer. Elle ne manquait pas une occasion d'exprimer sa colère vis-à-vis d'elle. Chaque jour, elle faisait part au médecin de son ressentiment, et le prenait à partie, lui aussi, car elle estimait qu'elle était mal soulagée, qu'il ne passait pas assez de temps avec elle. Bref, chaque visite était une avalanche de reproches. Bientôt, cette femme a réclamé qu'on hâte sa fin. Elle ne supportait plus son état, ni cette haine qui l'habitait jour et nuit. Un jour, alors que sa violence, à son adresse, était plus forte encore, il se surprit à prendre sa tête dans ses mains, en un geste de lassitude extrême, et laissa échapper : « Mon Dieu ! Comme ça doit être affreux d'être à votre place ! Je ne sais vraiment plus quoi faire avec vous ! » À sa grande surprise, elle cessa immédiatement de se plaindre, et il vit que son visage avait changé. Elle semblait profondément ébranlée, quelques larmes se sont mises à couler en silence. À partir de ce jour, sans qu'il ait été question de ce court moment qui pourtant a tout changé, cette femme a cessé de réclamer la mort et de se plaindre de ses douleurs. Le médecin a eu l'impression qu'elle se laissait couler dans une relative sérénité.

Que s'est-il passé ? En réclamant la mort, cette femme ne cherchait-elle pas à provoquer le médecin ? À l'atteindre, à le rencontrer, au-delà de sa fonction de médecin ? N'attendait-elle pas précisément qu'il se montre ? Vulnérable, las, au bout du rouleau, comme elle ? N'y a-t-il pas eu dans ce court moment une rencontre humaine, un « échange » dans le sens où l'entend Patrick Baudry ?

Si les médecins pouvaient davantage « confronter » la violence des malades, au lieu de s'en protéger. S'ils pouvaient se montrer affectés, touchés, au lieu de se défendre, de se justifier, ou de prendre de haut la demande des malades, il y a fort à parier qu'il y aurait moins de demandes d'euthanasie.

Pourquoi les médecins ou les infirmières n'osent-ils pas dire au malade combien sa demande de mort les bouleverse et leur fait violence ?

Chaque fois que j'entends un militant de l'ADMD s'offusquer qu'un médecin confisque à un mourant la liberté de choisir le moment de sa mort, j'ai envie de lui demander s'il pense sincèrement que le mourant a tous les droits, et notamment celui de faire violence au médecin en l'obligeant à le tuer ? Le fait d'être un grand vieillard ou un mourant donne-t-il un droit particulier ? Notamment celui de susciter la pitié, de culpabiliser à outrance et d'exiger des autres un acte dont ils porteront longtemps la trace ?

Est-ce parce que nous respectons si mal les droits naturels des mourants – être informés, soulagés, écoutés, apaisés, traités comme des personnes à part entière – que nous leur laissons en échange ce droit exorbitant de nous le faire payer, en nous instrumentalisant ?

J'ai bien conscience de présenter le problème sous un angle qui n'est pas habituel. Nous nous sentons tellement coupables, collectivement, de si mal accompagner nos mourants que nous sommes comme fascinés par le pouvoir qu'ils prennent tout à coup sur nous, en nous réclamant la mort.

4.

Le droit de choisir sa mort

Un tout petit nombre de patients demandent l'euthanasie de manière claire, ferme et répétitive, parce qu'ils veulent maîtriser et contrôler jusqu'au bout les conditions de leur mourir. Ils estiment qu'il est temps pour eux de couper le fil de la vie, comme disait Sénèque. Ils veulent mourir avant d'être trop diminués dans leur capacité à entretenir une relation consciente avec les autres. Ces revendications euthanasiques existentielles sont très rares. On les estime à environ 5 à 10 % de l'ensemble des demandes d'euthanasie.

Le rituel de fin de vie

Il y a chez ceux qui veulent ainsi organiser leur mort un certain goût du rituel. Ils ne veulent pas mourir à la sauvette, clandestinement, ils veulent souvent une sorte de cérémonie des adieux. Cela complique les choses, puisque l'objet de leur demande, la mort par euthanasie, est illégal. Il faut donc que les choses s'organisent en secret, avec toutes sortes de précautions, comme on peut le lire dans les récits de Jacques Pohier.

Mais cet aspect du rituel de fin de vie mérite qu'on s'y arrête. Deux récits que je pourrais qualifier d'« euthanasie heureuse » m'ont donné à réfléchir.

Le premier m'a été confié par Henri Caillavet [1] :

– Avec mon frère, pharmacien, nous avons aidé mon père à mourir. Mon père avait plus de 86 ans et ne voulait plus vivre. C'était un libre penseur, un incroyant. Il m'a dit : « Toi, tu es mon aîné, tu devrais comprendre que la lampe est sans huile. » Tous ses amis étaient morts. Il était dans la solitude. Il n'avait plus de projets. Il pouvait se suicider – d'ailleurs il m'a dit que si je ne voulais pas faire sa volonté, il ferait le nécessaire. Je savais qu'il avait son pistolet et qu'il l'avait chargé – il pouvait donc se suicider mais il voulait mourir accompagné par ceux qu'il aimait. Il ne voulait pas mourir seul, il nous a impliqués et nous avons accepté. Bien sûr ! pas tout de suite. Il nous a dit : « Je vous donne le temps ! » Nous en avons parlé pendant sept à huit mois, puis, le jour choisi, nous étions là mon frère et moi autour de lui. Le dernier repas que nous avons eu était très gai. Avant qu'on l'endorme, il nous a tenus tous les deux par la main. Il était très apaisé,

1. Entretien du 25 mars 1999.

heureux ! Il nous a souri et il nous a dit : « Je savais que vous m'aimiez ! »

Ce moment si fort de la mort de son père laisse pourtant à Henri Caillavet un sentiment mélangé. Il y a cette dernière parole d'amour, cette reconnaissance de l'amour filial, qui prend finalement toute la place du souvenir, et semble toujours illuminer la scène, si j'en juge par le visage de celui qui me fait partager cet intime instant. Mais il y a aussi cet aveu : « Ce fut un moment terrible, un souvenir très difficile à porter, même si je ne regrette rien », quelque chose d'indicible, sans doute, dont il veut protéger ses enfants puisqu'il reconnaît qu'il ne leur demandera pas la même chose. Puisqu'il reconnaît aussi qu'il n'aurait pas pu le faire avec sa mère !

Le second récit, je l'ai entendu à Montréal, de la bouche d'un médecin d'Amsterdam [1]. Cette fois-ci il s'agit d'un suicide assisté.

« John a 28 ans. Il est atteint du sida. Je le vois depuis plusieurs mois lorsqu'il me demande de me rencontrer pour parler de "choses importantes". Nous prenons rendez-vous chez lui. C'est alors qu'il évoque la possibilité de mettre fin à sa vie. Pas maintenant, mais plus tard. Il veut, en réalité, que je le rassure sur le fait que je l'aiderai à mourir, le

1. Erik H. Hochheimer, communication à la Table ronde sur l'euthanasie de la IIe conférence internationale sur la prise en charge extrahospitalière des personnes vivant avec le VIH/sida, Montréal, 24-27 mai 1995.

moment venu, afin de continuer aujourd'hui à lutter contre sa maladie. Bien qu'il n'ait plus beaucoup d'énergie, il est encore en forme. Il me dit qu'il espère qu'il se passera encore du temps avant qu'il n'ait besoin de mes services. Son partenaire est moins enthousiaste. Lui-même est atteint. Il a accompagné jusqu'au bout son précédent ami, et il serait prêt à le faire pour John. Mais il respecte le choix de John. John est un garçon plein de vie. Il veut vivre, mais pas à n'importe quel prix. Je sais qu'il a parlé à sa famille et à ses amis de son choix de pouvoir dire un jour : "C'est assez !" Deux mois plus tard, John m'appelle. Il a été hospitalisé. On ne peut plus rien pour son Kaposi et pour son CMV [1]. Il signe sa pancarte et quitte l'hôpital. Il me dit qu'il n'y retournera pas. Je demande au médecin qui le suit à l'hôpital si on ne peut vraiment plus rien offrir à John sur le plan médical. Il me répond : "Non, pas vraiment !" Quand John m'appelle, je suis prêt. Il semble bien, mais il est faible. Parfois, il reste au lit, parfois il descend dans la salle à manger rejoindre son partenaire, son frère jumeau, sa mère et sa jeune sœur. Il n'a pas peur. Il n'est pas déprimé. En fait, pendant toute une semaine, il va aider tout le monde en faisant ses adieux. Il aide sa mère, son partenaire, son frère et il m'aide moi aussi. J'essaie de garder une certaine distance, car je crois qu'il en a besoin. C'est une semaine éprouvante. Je lui rends visite tous les jours. On parle de sa vie, du passé, je

1. CMV : cytomégalovirus (maladie opportuniste du sida).

le regarde en train de se préparer. Mercredi arrive. Nous buvons une dernière coupe de champagne. John appelle chacun à son chevet pour leur dire quelque chose de personnel. Puis il boit le barbiturique que je lui ai prescrit et il meurt une heure plus tard. »

Le docteur Erik Hochheimer conclut ainsi son récit : « Voilà un homme de vingt-huit ans qui avait atteint un niveau d'acceptation de sa mort extraordinaire ! »

Ces deux récits sont présentés par leurs auteurs comme des « euthanasies heureuses ». Voilà deux hommes qui ont fait preuve d'une volonté lucide, respectable, de regarder leur mort en face. Dans un monde où si souvent les mourants meurent à la sauvette, ce cérémonial des adieux rend à ce moment essentiel de la vie son caractère solennel. Nous y sommes sensibles.

Mais faut-il demander la mort, l'anticiper pour la vivre en « sujet », pour partir lucidement après avoir dit « au revoir » aux siens ?

Tous ceux qui accompagnent les mourants savent que ces derniers peuvent aussi vivre ce « rituel », partir consciemment après avoir pris congé des leurs, en laissant la mort venir à son heure.

Une demande de bien-portants

Pourquoi y a-t-il un tel décalage entre le nombre de personnes qui se disent favorables à l'euthanasie (environ 80 %) et ce très petit nombre de demandes explicites et réfléchies d'euthanasie ? Ce décalage souligne l'importance d'un fait encore mal connu des non-praticiens qui est la maturation psychique du patient, au cours de sa maladie et en interaction avec ses proches et ses soignants. Combien de « testaments de vie [1] » restent-ils enfouis dans les tiroirs au moment où ils auraient pu réellement servir !

Il y a une quinzaine d'années, alors que les soins palliatifs sont encore balbutiants, Michèle Salamagne [2], une des pionnières du mouvement, reçoit dans son cabinet un homme de 70 ans « très vert, dirigeant une petite entreprise, avec beaucoup d'humour, se moquant volontiers de lui-même » qui brandit son testament de vie, et lui dit : « Est-ce que vous seriez d'accord pour me donner ce que je veux, et ce que je veux est écrit là ? » Cet homme est atteint d'un cancer de l'œsophage inopérable et d'une insuffisance respiratoire importante. Il connaît son pronostic.

---

1. Déclaration de volonté de mourir dans la dignité ; document que les adhérents de l'ADMD portent sur eux, mais qui n'a aucune valeur légale.

2. Michèle Salamagne est aujourd'hui responsable de l'unité de soins palliatifs de l'hôpital Paul-Brousse à Villejuif.

Le récit recueilli par Bernard Martino [1] de cette demande faite à Michèle Salamagne illustre bien mon propos. « On a eu une longue conversation pendant laquelle on a discuté le testament de l'ADMD, point par point. "Je ne veux pas d'acharnement thérapeutique, je ne veux pas être ranimé, je veux qu'on calme mes douleurs, même si cela met mes jours en péril ou raccourcit ma vie." Michèle Salamagne lui répond qu'elle est d'accord. Mais sur le troisième point : "Je veux qu'on me donne la mort si je la réclame", elle est très claire : jamais elle n'accédera à cette demande-là. Elle considère que ce n'est pas son rôle de donner la mort. Malgré ce refus, l'homme revient la voir à plusieurs reprises. "J'ai bien réfléchi, dit-il, on verra bien quel bout de chemin on fera ensemble." Puis il lui parle de son angoisse de mourir d'hémorragie : "S'il y a un pépin, ma femme va appeler les gens du SAMU, ils vont me ranimer, je vais me retrouver en réa, avec un tuyau ! Et ça, ce n'est pas possible, je m'y refuse. Promettez-moi que vous ne me passerez pas de tuyaux." Michèle lui promet de ne pas l'intuber et la confiance s'établit. Très vite, il revient la voir. Il ne peut plus manger et maigrit à vue d'œil. Michèle lui propose alors une gastrectomie, c'est-à-dire de poser une sonde dans l'estomac, pour qu'il ne continue pas à se dégrader, et une séance de laser, pour s'attaquer à la tumeur et lui permettre de

1. Bernard Martino, *Voyage au bout de la vie*, Balland, 1987, p. 137.

s'alimenter à nouveau. À sa grande surprise, il accepte ces deux explorations, de même que l'hospitalisation, tout en sachant très bien, cela est clair, qu'il ne retournera plus chez lui. Puis une infection pulmonaire se déclare. Michèle lui demande s'il veut un cliché, il répond : "Faites-le." La radio montre que le poumon est complètement blanc. "On pourrait peut-être vous enlever le bouchon muqueux qui obstrue vos bronches, mais ça veut dire un tuyau, avec en plus une fibroscopie, c'est très désagréable et ça ne s'impose plus vraiment. Qu'est-ce que vous voulez ?" Cet homme à qui elle a promis de ne pas *passer de tuyaux* est maintenant dans un état d'esprit complètement différent. Il accepte tout, jusqu'au bout. "Il est mort très paisiblement, presque sans suffoquer, parce que je lui ai donné des antalgiques à dose filée et son rythme respiratoire s'est beaucoup abaissé." Sa femme, une Vietnamienne beaucoup plus jeune que lui, était près de lui, très proche. Elle le massait longuement, sans un mot, très présente. "Mais pas du tout encombrante… Souvent, je la trouvais dans la pénombre, assise sur son lit immobile en position de lotus, avec juste une petite lumière pour qu'il ne soit pas gêné, calme, complètement disponible." »

La crainte de la maltraitance

Nous connaissons tous un exemple de fin de vie dramatique. Un être cher est mort dans d'atroces souffrances, en proie à une angoisse impossible à soulager. Nous avons assisté impuissants à cette fin misérable ou bien on nous en a fait le récit. Plus jamais ça ! pensons-nous.

Nous sommes nombreux ainsi à redouter une agonie interminable. On lit ici et là que des dizaines de milliers de vieillards croupissent dans les institutions et passent les derniers mois de leur vie dans une alternance d'inconscience, d'égarement et de démence. Bernard Kouchner, il y a quelques années, m'avait confié que ces vieillards étaient nos *boat people*[1]. Le spectre de la sénescence nous hante, d'autant plus qu'un des effets pervers des progrès de la médecine est de nous promettre une vie de plus en plus longue, une mort de plus en plus lente. Il est difficile, de nos jours, de mourir d'une bonne pneumonie[2], d'une grippe d'hiver, d'un accident cardiovasculaire ou encore d'une embolie. Le Samu vous ranime, sans s'occuper de votre âge, ni de vos volontés si vous portez sur vous un « testament de vie ».

On tremble à l'idée de se retrouver un jour sourd, aveugle, muet, grabataire, paralysé, incontinent, transbordé de son lit au fauteuil. Est-ce cette perspective qui nous terrifie ou bien celle de vivre cet état de décrépitude dans la solitude et dans l'abandon, avec le sentiment de ne plus appartenir

---

1. Lors d'une rencontre au secrétariat à l'Action humanitaire, le 26 avril 1989.
2. Autrefois on l'appelait « l'amie du grand vieillard ».

au monde des vivants ? Où est l'indignité ? Dans cette inévitable déchéance du corps ? Ou dans l'absolue solitude de ceux que personne ne vient plus voir, qui ne reçoivent plus aucune marque de tendresse ou d'affection, que des soignants indifférents traitent comme des choses un peu sales ?

Des lieux existent où l'indignité est un fait quotidien. Non parce que les vieillards sont diminués, grabataires ou incontinents, mais parce que des soignants harassés et peu valorisés dans leur travail finissent par les traiter sans aucune attention, les humiliant, les infantilisant, leur ôtant toute autonomie. Comment dans ce cas ne pas devenir des vieillards geignards, pusillanimes et capricieux, radoteurs, gâteux ? Si nous craignons plus tard, dans notre extrême vieillesse, de devenir aussi peu aimables, nous sentons bien que le manque d'amour et d'attention de notre entourage ne pourrait que nous précipiter dans de tels abîmes.

Nous avons peur d'être à notre tour livré au pouvoir médical, de vivre une dépendance physique et psychologique que nous estimons indigne, de souffrir inutilement. Ayant perdu confiance dans le monde médical et dans la capacité qu'ont nos proches à nous accompagner comme nous le voudrions, nous imaginons que la seule liberté qui nous resterait serait d'anticiper notre propre mort. Nous revendiquons alors le droit de demander qu'on nous fasse mourir avant que les choses ne nous échappent.

On peut comprendre, dans ce cas, que, pour

garder une relative sérénité d'esprit à la pensée de sa propre fin, on puisse songer au suicide ou à l'euthanasie comme ultime liberté de choisir sa mort.

Il ne fait aucun doute que la peur des conditions dans lesquelles on meurt dans notre société est à l'origine de cet engouement pour « le droit de choisir sa mort ».

N'est-il pas remarquable que l'Association pour le droit à mourir dans la dignité recrute une grande partie de ses adhérents parmi les personnes de plus de 75 ans et dans des maisons de retraite ? C'est à cet âge et dans ces lieux que l'on pense à la mort. On regarde autour de soi, on entend des récits d'agonies affreuses, on constate la façon inacceptable dont on traite les mourants de notre société. En signant leur testament de vie, en demandant que soient respectées leurs volontés de ne pas souffrir, de ne pas être prolongés, et de recevoir le cas échéant une aide à mourir, peut-être toutes ces personnes au seuil de leur vieillesse y entrent-elles un peu plus sereines, avec l'espoir qu'on tiendra compte de leur souhait de mourir dans la dignité.

Notre mort nous appartient

France-Soir[1] publie sous ce gros titre la déclaration de désobéissance civique signée par

1. *France-Soir* publie, le 12 janvier 1999, l'Appel des 132 ; un

132 personnes dont quelques personnalités connues. Ces 132 personnes déclarent avoir aidé à mourir une ou plusieurs personnes à leur demande, et être prêtes à le refaire si c'était nécessaire. « Nous voulons pouvoir choisir le moment de notre mort et la manière de mourir. Nous voulons mourir dans la dignité. »

Cette déclaration forte, tonitruante, est bien à l'image de la volonté moderne individualiste de voir ses droits respectés. Nous voulons rester sujets de notre mort, nous ne voulons pas qu'on nous la vole. Nous ne voulons pas que la médecine nous impose une agonie interminable quand nous serons prêts, corps et âme, à mourir.

Mais il y a en même temps quelque chose de troublant dans cette déclaration. Une volonté un peu illusoire. Sommes-nous maîtres de nos vies ? Sommes-nous maîtres des maladies qui nous « tombent dessus », des deuils qui nous arrachent ceux que nous aimons ? Tant de choses nous échappent que vivre revient en fin de compte à faire au mieux avec ce que l'on a. Cette déclaration ressemble fort à un déni de notre condition d'humain. Elle témoigne d'une difficulté à intégrer la mort dans la vie. La mort semble être considérée comme quelque chose dont il faut se débarrasser d'une manière hygiénique. On entend presque

---

manifeste de désobéissance civique signé par 132 personnalités dont Pierre Bourdieu, Pierre-Gilles de Gennes, Françoise Giroud, Albert Jacquart, Gilles Perrault, Hubert Reeves, Jacques Testard, Agnès Varda.

entre les lignes : « Nous voulons une mort propre ! »

Hubert Reeves fait partie des signataires. Je lui ai écrit. Je souhaite le rencontrer. J'ai lu ses livres, ils m'ont enchantée. Je voudrais comprendre ce qui pousse cet amoureux du cosmos à poser sa signature au bas d'une telle déclaration.

Nous voilà donc face à face, dans un restaurant qui met aussi à la disposition de ses clients une grande bibliothèque. Ici on allie le goût de la bonne cuisine et celui de la lecture. Hubert Reeves est un bon vivant, et je suis sûre que l'endroit lui plaira. Il est là, avec son regard bleu, lumineux, intelligent. Et je repense à ce titre d'un de ses livres emprunté au poème de Valéry : *Patience, patience dans l'azur, un atome de silence est la chance d'un fruit mûr.* Comment un homme qui se montre sensible à cet éloge de la patience peut-il militer en faveur d'une précipitation de la mort ?

Dans un article intitulé « Accompagner le trépas [1] », j'ai mis en exergue ce même vers de Valéry. Distinguant comme Rilke l'a fait la « petite mort » qui pend à l'intérieur de l'homme comme un fruit aigre, vert et qui ne mûrit pas, de la « grande mort » que « chacun porte en soi comme le fruit qui est au centre de tout », je plaide dans ce texte pour un respect du « temps du mourir », de son rythme, de sa lenteur. « Le mourant a encore tant de choses

1. Publié dans *Présence haptonomique*, n° 1, octobre 1990.

à vivre, à mûrir dans le temps qui lui reste ! Cette mort-là a besoin de patience et de respect », ai-je ajouté.

Il m'importe donc de savoir pourquoi Hubert Reeves signe ce qui semble bien être une déclaration d'impatience. A-t-il, comme le déclarent les signataires, aidé quelqu'un à mourir sur sa demande ?

– Non, me répond-il, je ne l'ai jamais fait ! Mais si j'étais totalement dépendant, dégradé, j'aimerais que l'on m'euthanasie. Je connais une femme très intelligente, pleine de qualités qui est devenue complètement folle, agressive, haineuse. La dégradation mentale, la perte d'espoir, donner cette image, être un poids pour mes proches, ce serait insupportable pour moi !

– Est-ce que quelqu'un qui n'a plus sa tête n'a plus de dignité à vos yeux ?

– Pas nécessairement. La mère de mon ex-femme est retombée en enfance. Elle n'est pas malheureuse. Elle ne se comporte pas de manière odieuse comme cette amie qui insulte son entourage, lui montre le poing, tient un langage de camionneur.

Plutôt anticiper sa mort que de donner un tel spectacle à ceux qui vous admirent et qui vous aiment !

– Je n'ai pas peur de la mort, continue notre astrophysicien, j'ai toujours vécu avec l'idée qu'on doit mourir. Cela fait partie de la nature. Je l'accepte. Mais j'ai un ressentiment très vif à l'égard de cette dégradation ultime qui n'est pas nécessaire. C'est une cruauté de la nature que j'ai du mal à lui pardonner. Si Dieu m'avait demandé conseil, je l'aurais mis en garde contre ce scandale !

Ce que Hubert Reeves n'admet pas, cette perte de contrôle de soi correspond à ce que Jung appelle des « remontées de l'Ombre ». Toutes les émotions refoulées, la colère qu'on ne s'est jamais autorisé à exprimer, la haine que l'on a tenue sous le boisseau des bons sentiments. Tout cela remonte comme une vague de fond dans les derniers moments. Peut-être pour s'en libérer avant d'entrer dans l'espace illimité, dans le non-temps ? Les bouddhistes semblent attacher une importance particulière à cette libération des émotions refoulées avant la mort. Comme si cela allégeait l'esprit pour la suite de son voyage.

Cette dégradation a donc peut-être un sens ?

Mais Hubert Reeves n'est pas convaincu. Je lui demande s'il a été témoin d'une mort exemplaire. Il me raconte alors celle d'un homme, Pierre S., que j'ai admiré moi aussi et souvent écouté en conférence.

– On est allé le voir à l'hôpital. Il nous a fait ses adieux, très calmement. Il a rassemblé sa famille, leur a dit adieu, et puis a pris un cocktail euthanasique. Je trouve cela très digne, très beau.

Françoise Giroud, elle aussi, a signé la pétition des 132. Elle me reçoit chez elle, très simplement. C'est une femme que j'admire et dont j'ai apprécié la plupart des livres. Trouver sa signature au bas de cette déclaration de désobéissance civique ne m'étonne pas. J'ai lu le récit qu'elle a fait de la mort de cet ami, un homme lucide, intelligent, atteint d'un cancer à la gorge, et qui lui avait fait promettre de l'aider à mourir. « Si tu as un peu d'amour pour moi, tu ne me laisseras pas étouffer ! »

– C'était assez tôt dans l'évolution de sa maladie et c'est resté entre nous comme un contrat. Quand j'ai vu qu'il étouffait, on l'a transporté à l'hôpital et on lui a fait une trachéotomie. J'ai trouvé un médecin qui était dans la même disposition d'esprit que moi, et qui l'a euthanasié. Quand quelqu'un vous a demandé ce service, cette manifestation d'amour ou d'amitié, il faut le faire, conclut Françoise Giroud [1].

Ainsi, pour elle, ce n'est pas tant la crainte de la dégradation que la crainte de la souffrance physique qui motive la demande d'aide à mourir.

– Mais les soins palliatifs existent, fais-je remarquer.

– Je ne suis pas sûre qu'un engagement à

1. Entretien du 30 mars 1999.

soulager la douleur me suffirait. Les gens n'ont pas confiance dans les traitements de la douleur ni dans le corps médical.

Françoise Giroud a sans doute sa propre expérience de l'incompétence médicale. N'a-t-elle pas vu souffrir sa mère ?

– Les gens ne supportaient pas de la voir souffrir. Donc ils partaient. Elle avait un sentiment d'abandon. Elle m'a suppliée de faire quelque chose, mais je ne l'ai pas fait. Je crois qu'on ne peut pas faire ça à sa mère.

Cela me rappelle les paroles d'Henri Caillavet : « La femme qui m'a donné la vie ! Ce n'est pas possible ! »

Comme si, face à sa propre mère, quelque chose du sacré de la vie s'imposait malgré tout.

C'est sur un plateau de télévision[1] que je rencontre Catherine Finaz, chercheur au CNRS. Elle vient de signer la fameuse pétition des 132, et c'est à ce titre qu'elle est invitée à témoigner. Pourquoi l'a-t-elle signée ? Pour faire avancer les choses, dit-elle. Confrontée à la demande de personnes proches qui n'avaient pas osé s'adresser aux médecins, Catherine Finaz n'a pas su comment les aider. Cette femme exprime avec beaucoup de finesse le désarroi des proches face à une telle demande, dans un contexte où ils ne reçoivent aucune aide. « Vous parlez de soins palliatifs, me

1. Débat télévisé sur Forum du 10 mars 1999.

dit-elle, mais la mort ordinaire est terriblement douloureuse, les médecins sont extrêmement rigides, on ne peut pas parler avec eux, et quand on sait qu'une personne est arrivée au bout de sa réflexion sur la vie, on peut comprendre qu'elle demande l'euthanasie. » Catherine Finaz a trouvé cette situation des plus difficiles, surtout quand on a affaire à « des personnes responsables qui ont beaucoup réfléchi et qui savent ce qu'elles demandent », mais que conscient de la complexité des désirs humains, on ne sait pas très bien si la décision de mourir est une « décision de l'être profond complètement assumée ».

Ces trois témoignages – parmi d'autres – montrent bien qu'à travers une déclaration comme celle-ci, « Notre mort nous appartient », c'est l'appréhension légitime d'un certain nombre de bien-portants qui s'exprime. La peur de vivre une agonie affreuse et interminable, de sombrer dans la déchéance, de perdre le contrôle de soi et la maîtrise de son destin, de devenir une charge pour les siens. On veut une mort propre, rapide, aseptisée.

Il est vrai que lorsqu'on a été témoin de l'affreuse débâcle de certaines fins de vie, il est tentant de se projeter dans l'avenir et d'imaginer les pires scénarios. Il dépend de la solidité de nos assises narcissiques de garder confiance en soi et en ceux qui seraient chargés de nous soigner et de nous accompagner. Cette confiance en une capacité personnelle de s'adapter aux situations les plus difficiles, de garder une liberté d'esprit et une dignité de l'être quels que soient les ravages de la maladie ou de la vieillesse, n'est pas donnée à tout le monde.

Il n'est pas facile de vieillir. Le constat progressif des pertes propres à cette période de la vie écorne notre narcissisme. Personne n'accepte de gaieté de cœur la perspective de devenir un jour sourd, aveugle, grabataire, incontinent, dément. L'idéal du Moi en prend un coup. L'épreuve de la perte progressive de ses facultés est sans doute la plus redoutable qui soit, et on peut comprendre que beaucoup aient peur de ne pas pouvoir la surmonter, s'ils s'y trouvent confrontés. Pourtant, la capacité humaine d'intégrer ses pertes, de s'adapter aux situations nouvelles existe potentiellement chez tout le monde. Les exemples ne manquent pas. Cette capacité ne dépend pas seulement de l'histoire de l'individu et de la force de sa personnalité, elle dépend aussi de la façon dont l'entourage permet cette adaptation.

« Comment faites-vous ? » ai-je entendu demander à une femme qui passait le plus clair de ses journées au chevet de son mari mourant, avec ses enfants. « C'est bien simple, a-t-elle répondu, on s'appuie les uns sur les autres. »

Cette conviction en la force de la solidarité fonde la philosophie des soins d'accompagnement. Personne ne peut faire face seul – sauf exception – aux aléas de la vie, et en particulier aux difficultés de la fin de la vie. Pour que celles-ci puissent être acceptables, il faut être accompagné. Il se peut alors que ces situations tant redoutées puissent être l'occasion de vivre des moments inestimables de rencontre vraie et affective.

Face à cette philosophie de la solidarité se dresse celle de la solitude, du « chacun pour soi ». On est toujours seul face au mur de sa souffrance. Si l'on ne peut plus la supporter, il faut user de la dernière liberté qui reste, celle de mettre fin à ses jours ou de demander à un tiers – un agent de l'acte euthanasique [1] – de le faire. C'est ce qu'on appelle aujourd'hui « mourir dans la dignité ». On préfère compter sur soi que sur les autres !

Je me souviens de l'interview d'Odette Thibault [2], biologiste, membre de l'ADMD, atteinte d'un cancer métastasé, et qui portait toujours sur elle de quoi mettre fin à ses jours. Cela la rassurait. Sa hantise était d'être dépossédée de sa mort. « Quand on a aimé planifier sa vie, on aime planifier sa mort. J'ai planifié la mienne dans tous ses détails, jusqu'aux faire-part. » Un désir de maîtrise qui trahit aussi son incapacité à faire confiance aux autres, aux médecins, à sa famille. Quand Bernard Martino lui demande si en décidant d'anticiper sa mort, elle ne va pas priver ses enfants de quelque chose, elle répond : « Priver ? Qu'est-ce que cela

---

1. Expression utilisée par Jacques Pohier dans *La Mort opportune*, *op. cit.*

2. Bernard Martino, *op. cit.*, p. 129.

veut dire ?... Qu'est-ce que ça leur apporterait ? Ils ont leur vie, eux, leurs soucis, ils ont leur famille... »

Avons-nous perdu à ce point confiance dans la capacité des autres à nous aider et à nous entourer dans cette période ultime ? Ou bien avons-nous perdu confiance dans ce que nous pourrions leur apporter ? N'avons-nous pas peur de n'être plus « bons à rien » ?

Sommes-nous encore *bons* à quelque chose, lorsque nous ne pouvons plus rien faire ? Que nos corps fatigués et malades gisent sans forces au creux d'un lit ?

« Ce n'est plus une vie ! » entend-on. Et pourtant ce sont nos derniers moments, nos derniers gestes, nos derniers regards, nos derniers sentiments ! Ne comptent-ils pas ?

Nos peurs sont là. Nous craignons qu'il n'y ait plus assez de vie autour de nous, assez d'échanges avec les autres. Ne serons-nous pas morts avant de mourir, parce qu'on nous aura exclus du monde des vivants ? Est-ce qu'on ne va pas nous voler notre mort ? Nous confisquer le sens et l'intimité de nos derniers moments ? Nous isoler derrière des paravents de silence ?

Nous voulons vivre notre mort et non pas la subir passivement. Faire de la mort notre mort, comme l'exprime si bien le poète Rilke. Nous voulons porter notre mort comme le fruit de notre vie. C'est à cette condition seulement que nous pouvons rester humains jusqu'au bout, libres et dignes. Pourquoi nous fait-on croire que la seule manière de

« vivre sa mort » et de ne pas se la faire « voler » est d'en choisir soi-même le moment ?

Qu'est-ce que la dignité ?

Deux conceptions irréconciliables s'affrontent sur la manière de respecter ce droit de mourir dignement, et sur le sens même du mot « dignité ».

Une conception individualiste soutient que chacun est seul juge de la dignité de sa vie.

Une conception interpersonnelle défend au contraire l'idée que nous sommes tous dépendants les uns des autres. L'être humain fait partie d'un tissu familial et social et la dignité de sa vie concerne aussi son entourage.

Deux camps s'affrontent aussi sur la notion de dépendance. Pour les uns, elle est synonyme d'indignité. Seul un homme ou une femme autonome, bien-portant, et maître de soi conserve sa valeur d'être humain. Pour les autres, la dépendance ne porte pas atteinte à la dignité de la personne qui tient à son humanité même.

Quelques échanges, tirés d'un récent débat sur la dignité [1] auquel j'ai participé, montrent que si partisans et adversaires de l'euthanasie tombent d'accord pour reconnaître à l'homme une dignité intrinsèque, propre à l'humain, s'ils admettent que

1. Débat télévisé sur la chaîne Forum du 10 mars 1999, *op. cit.*

le « sentiment de sa dignité » reste un sentiment essentiellement subjectif, ils ne donnent pas le même sens au mot. Pour les uns, le sentiment de sa dignité serait lié à une problématique narcissique – suis-je encore aimable ? – susceptible d'évoluer en fonction du regard ou de l'attitude de l'entourage. Pour les autres, il y aurait un glissement de sens dès lors que « dignité » devient synonyme de décence, de discrétion, de pudeur. On voudrait mourir pour ne pas être un poids pour les autres, pour ne pas déranger son entourage, pour ne pas infliger à ceux qu'on aime l'image d'un corps dégradé.

– Le sentiment que chacun peut avoir de sa dignité dépend aussi du regard de l'autre, dis-je. C'est dans le regard de l'autre que je vois si je suis encore aimable, c'est dans la manière dont il me parle, dont il prend soin de moi, que je sens si je fais encore partie du monde des vivants.

« Quand quelqu'un me dit: "Ma vie n'est plus digne", je me dis toujours que c'est peut-être une question qui m'est adressée. "Est-ce que, pour toi Marie, ma vie a encore un sens, est-ce que les échanges que nous pouvons avoir ont encore une valeur à tes yeux ? Est-ce que je sers encore à quelque chose ?" J'estime alors qu'il est de ma responsabilité d'humain non pas de le rassurer faussement à propos d'une dégradation qu'il perçoit à juste titre, mais de lui faire sentir qu'il reste un être de relation jusqu'au bout. Car c'est le fait que je suis un être capable de contact, d'échange, qui fait que je suis digne.

« On me dira alors : "Où s'arrête cette dignité ? Une personne dans le coma préagonique a-t-elle encore une dignité ?" Je réponds oui, même dans le coma, une personne conserve sa dignité. Qu'est-ce qui nous permet de dire qu'une personne dans le coma ne perçoit pas la qualité affective de ce qui lui est dit. Je pense que la relation continue à un niveau très profond d'inconscient à inconscient. »

Le sénateur Henri Caillavet[1] prend alors la parole:

– Je suis d'accord avec votre première remarque. Tout être humain, même dans la situation la plus dégradée, est revêtu d'une tunique de dignité... Mais je ne suis pas d'accord avec vous quand vous dites que la dignité, c'est un élément relationnel. La dignité est subjective. La mienne n'est sans doute pas la même que la vôtre, celle de mes fils n'est pas la même que la mienne. C'est moi qui juge de ma dégradation, et personne d'autre ! Il n'y a que moi qui peux dire, si je suis incontinent, si je suis grabataire: « Je ne veux pas donner cette image pitoyable de moi. »

Le docteur Desmichelles[2] l'interrompt.

– Et pourtant vous gardez votre tunique de dignité que personne ne peut vous arracher ? Vous

1. Ancien ministre, membre du Comité national d'éthique, président de l'ADMD.

2. Médecin, psychanalyste, président de JALMALV Eure-et-Loire.

parlez, si j'ai bien compris, d'une autre tunique, subjective cette fois-ci, la tunique que vous donnez à voir à vos proches. Cela me paraît respectable. Mais je pense que cette tunique qui me colle à la peau, personne jamais ne me l'enlèvera. Je pense que lorsque mes enfants m'accompagneront, quand je serai en fin de vie, ils attacheront infiniment plus de valeur à la relation qu'ils auront avec moi, à ce qui nous rapprochera dans ce moment si particulier des derniers instants d'une vie, qu'à l'image que je leur donnerai.

– C'est votre appréciation, répond Caillavet.

Jacques Pohier [1], qui se vante d'avoir assisté cinq personnes dans leur suicide, poursuit :

– Je voudrais prendre deux exemples concrets. Une dame qui était devenue incontinente, et qui avait trois filles, leur a dit : « Moi, je vous ai torchées chacune pendant deux ans, si maintenant, à vous trois, vous me torchez pendant six ans, on est quitte. Il n'y a pas de problème ! »

« Mais je connais un monsieur qui avait deux maladies mortelles et qui le savait. Son critère à lui, c'était que le jour où il ne pourrait plus prendre sa douche seul, il aurait perdu sa dignité. Sa femme lui a dit: "Écoute ! Je connais ton corps ! Je te laverai !" À quoi il lui a répondu : "Je sais très bien que tu m'aimes assez pour le faire aussi longtemps qu'il le faudra, mais je ne supporte pas cette idée-là !"

1. Jacques Pohier, *op. cit.*

Finalement, sa femme l'a aidé à mourir le jour où il l'a voulu.

Nous touchons là aux limites d'un tel débat. Les uns croient que le sentiment subjectif de sa dignité – sorte de jugement interne sur soi – n'est pas susceptible de changer. On se fixe une échéance au-delà de laquelle on estime que sa vie n'aura plus de valeur, et on s'y tient. C'est une façon de se défendre de l'angoisse, mais c'est une forme de fermeture, une défaite. D'autres pensent, au contraire, que l'énergie psychique, qui est capable de bien des retournements, ne demande qu'à explorer des voies nouvelles. Notre subjectivité peut évoluer.

À la suite de ce débat, je rends visite à Henri Caillavet, chez lui. Nous parlons à bâtons rompus [1]. L'ayant fréquenté souvent sur les plateaux de télévision, je m'attends à retrouver le ton polémique, légèrement cassant, avec lequel ce débatteur de talent cloue le bec de ses interlocuteurs. Je suis surprise par la chaleur de son accueil. Bien sûr, il va prendre le temps d'exposer ses idées avec énergie. On sent qu'il s'agit là d'un combat qui l'honore. Mais, en privé, il sait aussi vous écouter, et c'est ce que j'apprécie chez lui, ce jour-là. Nous parlons de sa détermination à obtenir une reconnaissance juridique du testament de vie permettant à ceux qui en

1. Entretien du 25 mars 1999.

manifestent expressément le désir d'obtenir une aide active à mourir. Ce testament de vie est très critiqué. On avance l'argument qu'il est signé par des bien-portants qui sous-estiment leur capacité de s'adapter, une fois malades, aux situations qu'ils imaginaient ne pas pouvoir supporter. Je raconte à mon interlocuteur comment un jeune homme atteint de cette terrible maladie qui paralyse progressivement [1] m'a parlé de son étonnement devant ses ressources face à sa maladie. Dans sa table de nuit, il a son testament de vie, signé quelques mois plus tôt. Il y demande qu'on lui procure une mort douce et sans souffrance dès lors que sa vie aura perdu toute dignité. Je lui ai demandé alors ce que c'est que « la dignité » pour lui. « Quand j'ai signé ce papier, je ne pensais pas que je pourrais supporter tout ça. Maintenant, je me sens en sécurité ici. J'ai dit au docteur que je ne veux pas de trachéotomie, je ne veux pas m'accrocher ! a-t-il ajouté avec une moue de mépris. Il m'a promis qu'il ne me laisserait pas étouffer ni souffrir. Je lui fais confiance. Et puis, c'est curieux, mes plaisirs ont changé. Je ne peux plus marcher, ni me lever, je suis cloué au lit mais respirer est encore un plaisir. Sentir la fraîcheur du drap sur ma joue, c'est un plaisir ! Rencontrer le regard de ma compagne quand elle vient me voir, c'est un plaisir ! » Toutes ces petites

1. La sclérose latérale amyotrophique, appelée aussi maladie de Charcot.

choses prennent tant d'importance quand l'univers est limité !

– Cette histoire est très estimable, reconnaît Henri Caillavet. Elle montre justement que ce testament de vie est révocable à tout moment ! D'ailleurs la plupart du temps les gens ne s'en servent pas. Tenez ! je vais vous raconter l'histoire de la mère d'un de mes amis. Elle était membre de l'ADMD. Elle avait toujours demandé à son fils de l'aider à mourir, le jour venu. Lorsqu'elle a été hospitalisée, à la fin de sa vie, il lui a demandé à plusieurs reprises ce qu'il pouvait faire pour elle. Elle a fini par répondre : « Va m'acheter des chaussettes, j'ai froid aux pieds ! »

– Outre l'humour savoureux de cette histoire, elle montre quand même que la dépendance n'est pas nécessairement un enfer ? ai-je demandé.

– Pour moi, c'est la pire des choses ! répond le sénateur.

– Parce que vous êtes encore en bonne santé !

– J'ai 85 ans. Je vois bien ce que je ne fais plus !

– Ni vous ni moi ne pouvons savoir ce que c'est de vivre une régression au cours de laquelle on devient dépendant. Il y a une blessure narcissique, certes, mais tant d'exemples montrent qu'un chemin est possible au milieu du désastre !

– Pourquoi voudriez-vous me le faire prendre ?

– Ne vous méprenez pas ! Je ne cherche pas à vous convaincre. Je dis seulement – et je parle à partir de mon expérience – que l'être humain a des ressources plus importantes qu'on ne le croit. Pour y avoir accès, il faut qu'autour de lui les gens lui donnent de l'espace, qu'on ne l'enferme pas dans l'image du type qui ne vaut plus rien ! Je pense comme vous que le sentiment de sa dignité est subjectif, mais cette subjectivité peut être influencée dans un sens comme dans l'autre. Un grand malade, un vieillard peut sentir qu'il compte encore pour quelques personnes lorsqu'on le soigne avec tendresse, mais il peut très vite avoir le sentiment inverse. Sentir qu'il est bon pour la casse. Tout dépend de la façon dont on le regarde, de ce qu'on lui fait passer par notre manière d'être. Est-ce que vous ne pensez pas qu'on pourrait faire pression sur des personnes que l'on juge indignes de vivre pour qu'elles demandent l'euthanasie ?

– Il y a un élément de vérité dans votre propos, reconnaît Henri Caillavet. Ce que je redoute, c'est le racisme antivieux. Dans quelque temps, les jeunes ne voudront plus payer pour les vieux. Vous aurez une euthanasie économique !

Comme je lui fais remarquer que c'est peut-être une bonne raison d'être prudent, et de ne pas ouvrir la voie à des abus, il conclut :

– Je n'ai aucune certitude, je suis moi-même très ambivalent, mais je ne veux pas qu'on me confisque ma liberté. J'ai horreur des gens qui ont des certitudes, mais, tout au fond de moi, je pense que je n'ai pas tort.

Un propos rassurant, et un peu surprenant chez quelqu'un qui a plutôt l'habitude, en public, d'assener ses convictions, sans ménagement.

Sur le chemin du retour je repense à notre entretien. Je regrette que nous n'ayons pas pu aller plus à fond dans la question qui nous divise : cette interdépendance humaine qui fonde la perception que nous avons de nous-mêmes.

Trop d'exemples nous montrent que des vieillards dépendants, des handicapés, des malades paralysés n'ont pas, quand ils se sentent aimés, le sentiment d'avoir perdu leur dignité. Tout le problème est là. Avons-nous si peu d'amour à leur donner ? Sommes-nous devenus tellement cyniques que l'idée de recevoir quelque chose d'eux ne nous effleure même pas ?

Où Jean-Dominique Bauby [1], enfermé dans son corps inerte comme dans un scaphandre, dépendant des autres pour le moindre de ses besoins, trouve-t-il l'humour qui le fait vivre, sinon dans l'amour qu'il rencontre autour de lui ? Tous ceux qui ont vu le film si poignant de Beneix se souviennent des yeux de son orthophoniste. Des yeux de femme qui s'est prise au jeu de la relation, pourtant si limitée. Des yeux qui communiquent l'espoir, la vie. Des yeux qui disent : ce que nous faisons là, et qui est si banal en soi, essayer péniblement d'articuler un son, eh bien ! cela me passionne ! Je suis là, entièrement pour toi, dans ce moment du soin ou de la thérapie. Je connais des aides-soignantes qui

1. Jean-Dominique Bauby, *Le Scaphandre et le Papillon*, Robert Laffont, 1997.

communiquent cette qualité de vie et d'énergie aux malades grabataires à qui elles donnent un bain ou un massage. Ils n'ont pas le sentiment d'avoir perdu leur dignité.

C'est décidé ! Je vais envoyer à Henri Caillavet *La Dernière Leçon*[1], le livre que j'ai traduit de l'américain et préfacé :

Aux États-Unis, un vieux professeur d'université atteint de la SLA[2] émeut des milliers de téléspectateurs. Il sait qu'il va mourir et qu'il va se dégrader rapidement, perdre son autonomie et devoir confier son corps, ses gestes les plus intimes aux mains et aux regards des autres. Il en souffre, il en a peur, mais il est professeur dans l'âme. Il a donc décidé de faire de sa lente agonie la matière d'un enseignement : « Étudiez-moi dans ma lente et patiente disparition, dit-il. Observez ce qui m'arrive. Apprenez avec moi ! » Ce vieil homme qui a décidé de tirer le meilleur parti possible du temps qui lui reste à vivre n'est pas pour autant un surhomme. Il souffre et ne s'en cache pas. Mais sa philosophie, c'est de « tout vivre », le bon et le mauvais. Il faut se laisser pénétrer par les émotions, les éprouver, les vivre jusqu'au bout pour pouvoir les dépasser. C'est ce qui permet de rester vivant et de ne pas mourir avant la mort.

Ainsi donc, il vit dans cette contradiction, la

---

1. Mitch Albom, *La Dernière Leçon*, Robert Laffont, 1998.
2. SLA : sclérose latérale amyotrophique, dégénérescence neuromusculaire au pronostic fatal.

douleur de se voir mourir à petit feu, mais aussi la conscience, qu'il qualifie de « merveilleuse », d'avoir le temps de se préparer à mourir et de dire au revoir. « Tout le monde n'a pas cette chance », dit-il. Convaincu que toute expérience humaine, toute épreuve contient en elle-même la possibilité d'un dépassement, d'un accès à quelque chose de neuf, il va chercher comment « aimer » cette dépendance contre laquelle il a lutté tant qu'il a pu, mais qu'il lui faut bien accepter maintenant. Il sait qu'il a la liberté de faire de cette lente et insidieuse détérioration une expérience qui ait un sens, et une leçon de vie pour les autres. Ainsi nous invite-t-il à prendre « la vieillesse à bras-le-corps, car vieillir, ce n'est pas seulement se détériorer, c'est croître ». Et la dépendance, sans doute le pire des maux, comme le dit Henri Caillavet, dans un monde qui valorise la maîtrise de soi et le contrôle ? Comment la supporter ? Il va même plus loin : comment l'aimer ? Peut-être en retrouvant comme il le fait lui-même le plaisir que tout enfant a éprouvé lorsqu'il était bercé, porté, caressé par sa mère ? En retrouvant ces traces que notre peau, en sa mémoire affective, a gardées de ce temps ancien où nous aimions que l'on s'occupe entièrement de nous, et que nous n'avons jamais tout à fait oublié.

Ce vieil homme a-t-il perdu sa dignité ?

Lorsque nous avions abordé la question de la dignité avec Bernard Martino, en 1987, juste avant l'ouverture de la première unité de soins palliatifs en France, il m'avait fait cette remarque, qu'il n'excluait pas la possibilité d'être un jour, comme il le dit dans son livre, « bavant, tremblant, vomissant, faisant sous moi. Ma dignité fondamentale sera-t-elle pour autant remise en question ? J'aurais tendance à penser que ma dignité a son siège quelque part dans ma tête – j'ai eu envie d'ajouter "et dans mon cœur" – plutôt que dans le bas de mon dos[1] ! ».

Et la liberté dans tout ça ?

Ces demandes d'euthanasie existentielle, il faut oser les affronter. « On ne peut pas voler sa dignité à une personne qui a décidé d'en finir autrement. On ne peut pas voler cette part de liberté. Il faudrait laisser une petite respiration à ceux qui veulent choisir leur mort[2] », affirme Bernard Kouchner.

Dans une société qui se réfère à la Déclaration des droits de l'homme, comment ne pas respecter cette suprême liberté de ne pas vouloir aller plus loin lorsqu'on est mourant et condamné par la médecine ?

Il ne s'agit pas tant de mettre en cause cette liberté que de la mettre en face de ses limites : que

---

1. Bernard Martino, *op. cit.*
2. Bernard Kouchner, Sophie Aurenche, dans *Euthanasie, la fin d'un tabou ?*, ESF, 1999.

fait-on de la liberté de celui à qui on demande de mettre fin à sa vie ?

Lors du débat organisé par Paul Amar[1], le sénateur Biarnès[2] s'écrie sur un ton pathétique : « L'angoisse des fins dernières, qui en parle ? », qui parle de l'angoisse de l'homme libre, de celui qui veut s'en aller maintenant, tirer le rideau ? « Est-ce qu'on respecte la volonté d'un homme libre qui va mourir et qui veut mourir » ? À quoi une petite élève infirmière, qui jusque-là n'avait pas pris la parole, rétorque : « La liberté, elle est où dans tout ça ? Puisque ce sont les soignants qui vont être obligés de porter ça après, sur leurs épaules à eux ? »

L'Association pour les droits de l'homme de Montpellier a organisé un débat autour d'une table ronde[3] rassemblant partisans et adversaires d'une légalisation de l'euthanasie. Ce soir-là, les échanges ont abouti, comme souvent, dans l'impasse. Au nom du respect de leur liberté, les uns s'indignent qu'on leur impose de rester en vie quand ils ont décidé d'en finir, les autres refusent qu'on leur impose un acte mortifère. « Pourquoi ne peut-on choisir la façon et le moyen de mourir, lorsqu'on aura décidé que la vie ne vaut plus la peine d'être vécue ? » demande un homme perdu dans l'assistance. « Je peux admettre le suicide, mais je ne peux

1. France 2, « D'un monde à l'autre », 7 septembre 1998.
2. Auteur d'une proposition de loi sur l'euthanasie.
3. Le 5 novembre 1998.

pas admettre qu'un malade qui souhaite mourir impose à un autre être humain de lui donner la mort », répond un médecin dans la salle surchauffée. L'échange continue entre les médecins qui refusent qu'on leur impose un acte qui ne relève pas de leur fonction, et des gens qui font remarquer que le médecin reste le passage obligé, puisqu'il est seul à pouvoir prescrire. On est dans un rapport de forces. Et voilà qu'une élève infirmière, timidement mais courageusement, élève la voix pour une dernière intervention. « À ceux qui pensent que l'euthanasie doit être légalisée, je demande : qui est censé faire l'acte ? Ceux qui exigent une piqûre, à qui vont-ils faire porter la responsabilité de la faire ? Le soignant n'a pas à assumer le choix de la personne qui souhaite recevoir un produit mortel, il est censé soigner ; vous avez le droit de vous suicider, mais vous ne pouvez pas me demander à moi de vous tuer. Je pense que c'est respecter l'autre que de ne pas lui demander de commettre un tel geste. »

J'assiste à un échange plutôt vif[1] entre le sénateur Henri Caillavet et deux médecins en soins palliatifs, les docteurs Gilbert Desfosses[2] et Dominique Desmichelles.

---

1. Débat télévisé sur Forum, « Mourir dans la dignité », 10 mars 1999.
2. Gilbert Desfosses dirige l'équipe mobile de soins palliatifs de la Pitié-Salpêtrière.

Le docteur Desfosses vient de rappeler que le médecin n'est pas là pour tuer ses patients :

– Je crois profondément que le fait de donner la mort n'est pas un acte soignant. Dans le pacte soignant, on est dans un projet de soulagement et d'aide à vivre. Donner la mort ne relève pas du soin. Si on revenait là-dessus, ce serait dramatique. Donc, quand ils enfreignent cette limite, les soignants en sont marqués.

Le sénateur Caillavet, à qui nous devons maintes avancées dans le domaine de l'humanisation de la fin de vie, se montre toujours très mordant quand il s'agit de défendre sa liberté. J'ai toujours pensé qu'il devait avoir un compte à régler avec le corps médical. Aujourd'hui, il se montre particulièrement agressif :

– Si je suis en soins palliatifs, vous voudrez bien me reconnaître la liberté de dire : Je n'attends plus ! Attendre quoi ? la mort ? Ça ne me concerne plus, je veux mourir immédiatement. (Montant le ton et martelant ses mots :) Vous n'avez pas le droit de me confisquer cet ultime instant de liberté qui me reste.

– Si vous me parliez comme ça, reprend le docteur Desfosses, j'essaierais de comprendre, d'écouter ce qui fait votre souffrance.

Sa voix est douce et posée, tout en contraste avec celle du sénateur.

– Je chercherais à vous aider, à combattre la dépression qui vous habite, je saurais aussi que ce que vous me dites peut changer.

Tandis qu'il parle, je vois son interlocuteur bouillir intérieurement. Mais Desfosses continue :

– Quand quelqu'un souffre parce qu'il est déprimé, le soulager, ce n'est pas lui procurer les moyens de se tuer, c'est l'aider à vivre. Et je vous donnerai mes limites.

– Si je suis en soins palliatifs, reprend Caillavet, est-ce que vous me reconnaissez le droit de vous demander à mourir ? Et si vous ne voulez pas m'aider, est-ce que vous me reconnaissez le droit de faire appel à un tiers, pour protéger ma liberté ?

Et puis, terminant sur un ton extrêmement péremptoire :

– Je voudrais que vous me répondiez par oui ou par non.

Le docteur Desmichelles vient à la rescousse de son confrère malmené.

– En quinze ans d'expérience, je n'ai jamais rencontré une seule demande d'euthanasie qui ait persisté au-delà d'un accompagnement de qualité. Il faut promouvoir l'éthique des soins palliatifs. Je suis un soignant et ce n'est pas à moi de donner la mort. Par contre, si la demande persiste, je vais m'interroger au plus intime de moi-même. Y a-t-il quelque chose que je n'ai pas su entendre chez l'autre ou quelque chose qui demande à être dit ? Toute réitération de demande d'euthanasie exprime la volonté pour la personne d'être vivant autrement. Si je réponds par un geste d'euthanasie, je réponds à côté. Parce qu'il y a toujours autre chose qui est demandé.

– Nous ne partageons pas votre position, répond Caillavet sur un ton froid, légèrement condescendant. Il y a des hommes aussi qualifiés que vous, avec une morale tout aussi évoluée que la vôtre, qui acceptent de protéger la liberté d'autrui et de ne pas la confisquer. Et c'est cela que je demande de reconnaître.

Puis, sur un ton à nouveau comminatoire :

– Est-ce que vous répondez par oui ou par non ?

Desmichelles : Je respecte la liberté de l'autre !

Caillavet : Vous m'aidez ou vous ne m'aidez pas ?

Desmichelles : En tant que soignant, non !

Caillavet (triomphant) : Donc, vous vous dérobez !

Desmichelles : Non, je ne me dérobe pas. Je m'inscris dans une éthique d'accompagnement.

Témoin de cet échange, je suis impressionnée par la violence du rapport de forces. Les médecins détiennent un pouvoir dont ils ne veulent pas user. Et cette rétention met en rage ceux qui voudraient le leur arracher. Pourtant, on ne peut pas reprocher à ces deux médecins-là de faire preuve d'arrogance ni d'être imbus de leur pouvoir. Ils inspirent la sympathie. On les sent humains, proches de leurs patients, et conscients de leurs limites. Pourquoi reçoivent-ils autant de violence ?

Il semble bien qu'au-delà d'eux ce soit au pouvoir médical qu'on en veut. Un pouvoir exacerbé par les progrès de la médecine. Ne prête-t-on pas aux médecins un pouvoir démesuré : le pouvoir de vie et de mort sur leurs malades ?

Montréal. Dans le bar d'un grand hôtel, je prends un café avec mon ami Bernard Lapointe, médecin responsable de l'unité des soins palliatifs de l'hôpital Notre-Dame et président de l'Association québécoise des soins palliatifs [1]. Nous parlons du pouvoir médical. Bernard, qui est un homme d'une grande culture, me fait remarquer que nous vivons en ce moment une véritable régression. Pour la comprendre, il faut revenir aux sources de notre psyché. Il faut interroger les grands mythes qui dorment dans les profondeurs de notre inconscient, et notamment le mythe d'Asclépios, le dieu de la Médecine. Asclépios, fils d'Apollon, est confié par son père au centaure Chiron qui lui apprend la médecine. Très vite, il acquiert le don de guérir et de soulager les douleurs. Il devient d'une telle habileté qu'il réussit même à rendre la vie aux morts. Inquiet de ce pouvoir qui menace l'ordre du monde et met sa toute-puissance en péril, Zeus décide de foudroyer Asclépios.

– Il y a donc, à l'origine de la médecine, une image archétypique de médecin tout-puissant, ayant pouvoir sur la vie et la mort, conclut Bernard Lapointe. Mais le mythe dit que ce pouvoir menace l'ordre du monde. Le médecin risque sa peau s'il l'exerce, comme le montre le destin d'Asclépios.

1. Septembre 1999.

C'est la raison pour laquelle Hippocrate – le plus célèbre des descendants d'Asclépios – pose dans ses écrits les limites du pouvoir médical et exhorte les médecins à s'engager à ne pas porter atteinte à la vie de leurs patients. « Je ne donnerai pas de drogue homicide à quiconque m'en prierait. »

« L'interdit de tuer n'est pas seulement un interdit religieux, poursuit-il. C'est un interdit psychologique, celui de se prendre pour un presque-dieu. Il a sa racine dans les profondeurs de notre inconscient, comme le montre le mythe. Avec les progrès de la médecine, nous avons retrouvé l'habileté d'Asclépios, nous pouvons faire reculer la mort, nous pouvons aussi la donner. Mais au fond de nous-mêmes, nous médecins, nous savons qu'en nous attribuant ce pouvoir nous touchons aux fondements mêmes de l'ordre du monde. Nous en sentons l'immense danger. Que se passera-t-il le jour où la loi nous autorisera à tuer ? Nous perdrons la confiance que nous font nos patients et qui est la base de notre travail. Sans cette confiance, notre profession sera détruite, foudroyée comme dans le mythe. »

– Est-ce pour cette raison que les débats sur l'euthanasie sont si passionnés, que les échanges sont si violents ? demandé-je.

– On touche à quelque chose d'irrationnel, me répond-il, une peur archaïque d'être anéanti, foudroyé, de se voir dépossédé de tout. Le pouvoir de donner la mort est tout de même un pouvoir terrible.

Au fond, même lorsque nous essayons de débattre sereinement de cette question, le fantasme originel nous rattrape. Il nous fascine et nous terrifie à la fois. Ce pouvoir de donner la mort, l'homme répugne à se l'approprier, non que la religion l'interdise, mais parce que son inconscient le met en garde. Attention ! tu touches à quelque chose de dangereux, quelque chose qui peut te détruire en retour.

On peut admettre rationnellement que celui qui est proche de sa mort appelle cette destruction de ses vœux, mais on peut comprendre, et le mythe nous y aide, que celui à qui on confie ce pouvoir exorbitant, dangereux, refuse d'en user.

Nous voilà donc dans un rapport de forces qui exacerbe le conflit des libertés.

La revendication est exacerbée parce qu'elle se double d'une protestation contre un pouvoir médical ressenti comme hautain. Si les médecins étaient moins arrogants, si les malades n'avaient pas cette impression d'être livrés à un pouvoir médical tout-puissant, s'ils ne percevaient pas le médecin comme quelqu'un qui leur confisque une liberté, ils revendiqueraient sans doute moins fortement l'euthanasie.

Le conflit de liberté ne peut se résoudre en acculant l'autre au fond d'une impasse. La volonté du malade ne peut s'exprimer dans une injonction à l'égard du médecin : le « oui ou non, allez-vous m'aider ? » d'Henri Caillavet.

Toute liberté n'a-t-elle pas sa limite ? Ne suppose-t-elle pas une responsabilité ?

J'ai lu dans la presse cette réponse d'une collègue psychologue, Marie Frédérique Bacqué, à qui une journaliste demande si on a moralement le droit de refuser d'aider à mourir celui qui le souhaite et se sait condamné.

« Bien sûr qu'on en a le droit ! Quand on ne l'a jamais fait, il est difficile d'imaginer la charge que cela représente d'injecter à une personne un produit qui va la faire mourir. Les soignants le vivent très mal. Je suis pour la liberté de demander l'euthanasie, mais je suis aussi pour celle de la refuser quand on est un soignant [1]. »

Que fait-on, en effet, de la liberté du médecin ou de l'infirmière que l'on met devant un choix impossible, un conflit, que l'on instrumentalise avec sa souffrance, faisant un appel abusif à sa compassion ?

L'autre est-il libre face à une demande que je lui fais de me faire mourir ?

Faire appel à la pitié ou à la compassion de l'autre, n'est-ce pas aussi un abus de pouvoir ? Je connais bien des personnes désireuses de mourir qui s'en sont abstenues par respect pour leur entourage.

D'autre part, que veut dire « être libre » ?

Ne sommes-nous pas conditionnés, que nous le

1. Interview donnée à *Femme actuelle*, 26 avril 1999.

voulions ou non, de mille manières ? Ne sommes-nous pas prisonniers de nos peurs ? Peur de la grande vieillesse, de l'agonie, de l'angoisse qui risque de nous tenir dans les derniers moments, peur de nous sentir seuls et abandonnés de tous. Nous sommes ligotés par nos peurs et c'est menottes aux poings que nous réclamons d'être libérés par la mort. C'est notre propre manque de confiance en nous-mêmes, le peu de crédit que nous faisons à notre capacité de traverser les angoisses dernières et de nous laisser aller tranquillement dans la mort qui nous pousse à réclamer la mort. C'est le peu de confiance que nous faisons à notre entourage, à ceux que nous aimons, de trouver du sens dans l'accompagnement de nos derniers instants, qui nous pousse à leur voler cette ultime occasion de nous manifester leur amitié ou leur amour.

Je ne suis pas sûre que réclamer la mort à un autre humain, dans un moment d'angoisse, ou dans la peur de ne pas supporter les dernières étapes de sa vie, soit un acte libre.

Je partage l'avis de Bernadette Wouters quand elle met en question cette fameuse liberté que l'on brandit à tout bout de champ. « Quelle liberté ? Celle avec un grand L, absolue, ou celle qui caractérise le petit espace où l'on peut évoluer, entre tout ce qui ne peut changer ? Pourquoi vouloir ignorer que sans cesse la vie, la santé, la société, la famille nous mettent des limites qui nous obligent à changer nos projets ? Toute vie est faite de cette réalité, à tout âge, donc aussi lors de la vieillesse et de l'approche de la mort. Bien sûr, accepter et vivre avec cette réalité peut être difficile, et ne s'en rendre compte qu'à ce moment peut être dramatique. Évidemment, l'enjeu peut cette fois être plus lourd. Mais, en tout cas, ce n'est pas une situation neuve dans la vie d'un individu. »

La vraie liberté m'a toujours semblé d'un autre ordre. Je l'ai apprise de mes malades. Dans la façon dont ils portaient leur maladie plutôt que de se laisser porter par elle. Ils ne l'avaient pas choisie, elle était là. Mais ils avaient la liberté intérieure de lui donner un sens, de s'adapter. Cette capacité de toucher le fond du désespoir, de rebondir, de transformer « l'impasse en chemin », comme le disait un de mes amis, m'a toujours laissée profondément étonnée. Je me garde bien maintenant de préjuger des forces des malades. Elles me surprennent toujours.

Mon amie Michelle Monnier m'a envoyé son manuscrit *Je marche avec mon cancer*[1] quelques mois avant sa mort. Elle y décrit ce moment étonnant où, dans la nuit de l'angoisse, quelque chose se produit, d'inattendu, qui apporte la paix.

« Je suis prise de panique face à la douleur, à la mort. Mon univers bascule, je sais ce qui m'attend. Bientôt, peut-être ?... Je m'en vais dans le courant de la peur glacée. Ce sont des jours tragiques. Mon

1. Non publié à ce jour.

corps est totalement raide, dur, j'ai des crampes partout, ma tête me fait mal et mon ventre est de pierre. Mes mains sont des poings serrés qu'il m'est impossible d'ouvrir. Je reste ainsi figée, transie, trois jours et trois nuits. »

Puis elle s'étonne un matin de se réveiller calme, la peur ayant disparu. « Comment, je ne sais pas, mais c'est une situation de fait... Mes mains sont ouvertes. Je pense à un psaume : "Les mains ouvertes devant toi, Seigneur, notre joie est profonde." C'est exactement ce que je ressens : une joie profonde. Je cherche à m'expliquer ce fantastique contraste entre la crise et la joie. Je ne vois pas d'explication. J'y réfléchis. Quelque chose est monté de mon inconscient pendant mon sommeil, c'est la piste que j'explore. »

C'est alors qu'un souvenir d'enfance s'impose. Elle est petite fille et joue par terre avec des cubes en bois, tandis que son père Georges Izard et un groupe de jeunes intellectuels généreux, dont Emmanuel Mounier, parlent de la fondation de la revue *Esprit*. « Les mots volaient entre ces jeunes gens brillants et idéalistes. Je crois que j'ai dû en saisir quelques bribes et que le mot "esprit", le plus beau des mots, est venu se nicher dans un recoin de mon cœur. Ce mot a dû demeurer dans mon inconscient d'enfant avec sa force, sa spiritualité, son courage face à l'ignominie, et la paix qu'il porte en lui. »

Le contraste entre la crise de terreur et la sérénité si inattendue, elle se l'explique par la réapparition d'un état de pensée ancien, « un état qui a préexisté à toutes les inquiétudes de la vie. Un état d'enfance... qui a surgi bien des années plus tard dans une nuit de détresse ».

Et Michelle conclut : « Je sais que la peur reviendra, mais je sais aussi que la sérénité est possible. »

Je repense à cette phrase de Marcel Légaut lue dans un communiqué d'entretiens qui n'ont pas, à ma connaissance, été publiés : « Il y a une liberté dans l'homme qui va mourir qui n'existe pas dans l'homme qui est encore en pleine vitalité. Il y a une liberté dans le détachement, dans le dépouillement, qui permet dans une certaine mesure de dire des choses ou d'entendre des choses qui n'ont rien à voir avec ce qu'on aurait été capable de dire ou ce qu'on aurait été capable d'entendre en temps ordinaire. »

Le prix à payer

Qui paie le prix de ce « droit à mourir » ? Peut-on demander à quelqu'un d'autre de vous tuer ? Un droit suppose une responsabilité. Quel fardeau fait-on porter à l'autre ?

On parle trop peu des personnes qui ont pratiqué des euthanasies et sont hantées par ce qu'elles ont fait. « On sait que ces personnes qui tuent, que ce soient des soldats ou des bourreaux, sont marquées à vie, pour leur génération et pour leur famille. Une personne qui a pratiqué l'euthanasie n'en sort pas indemne. Elle se souvient, elle se demande si elle a bien fait [1]. »

« Quand on est jeune et qu'on pratique des euthanasies, il faut avoir le moral et le cœur bien accrochés... Lorsque je me suis rendu compte que ça commençait à me coûter cher, physiquement, moralement, et humainement, j'ai lâché prise. J'avais de plus en plus de cauchemars, du cafard, et ma santé s'en ressentait [2]. »

Une infirmière m'écrit : « Je me suis tue pendant quatre ans sur les pratiques lâches d'une clinique chirurgicale où je travaillais comme infirmière de nuit. Je suis hantée par le souvenir d'une femme de 41 ans, maman d'une fillette du même âge que mon enfant, à qui j'ai injecté du poison à l'aide d'une perfusion "ordonnée" par un anesthésiste encore plus lâche que moi. Cette femme m'empêche de dormir, son souvenir de malade trahie, qui a tant souffert "pour rien", seulement la mort programmée au bout, m'obsède. »

Ce prix à payer par les médecins, les soignants, Jacques Pohier le dénie. Lors du débat « Mourir dans la dignité », sur la chaîne Forum, il s'offusque :

– Qu'est-ce que c'est que cette mélodramatisation autour de l'euthanasie ? Depuis dix ans, je fréquente des médecins suisses et néerlandais qui

1. Gilbert Desfosses, débat « Mourir dans la dignité », *op. cit.*
2. Béatrice Piccini, *op. cit.*

pratiquent l'euthanasie. Ce qui vient d'être dit ne correspond pas du tout à leur expérience. Ils ne culpabilisent pas. Ils sont en relation avec leurs patients depuis longtemps. L'euthanasie se situe à l'intérieur de la relation médicale. Ce n'est pas du tout ce drame épouvantable qu'on essaie de dire. Moi-même, j'ai aidé cinq personnes à mourir, je ne me sens pas du tout coupable.

Les situations terriblement difficiles auxquelles est confronté le professeur Vincent Meininger[1] l'obligent dans certains cas à procéder à des arrêts thérapeutiques.

Il assume ce geste, non sans souffrance personnelle, et s'en explique, si on le lui demande, avec une honnêteté intellectuelle qui force le respect. Mais alimenter un débat sur l'euthanasie ne l'intéresse pas. J'ai même eu le sentiment qu'il était irrité par la récupération dont il est l'objet par les militants des associations proeuthanasie.

Il n'a pas de mots assez durs pour qualifier le débat actuel sur le « droit du malade de choisir sa mort ». Un débat « stupidement émotionnel », perverti, à son sens, par les prises de position de gens qui ne savent pas de quoi ils parlent et qui pour la plupart n'ont jamais pratiqué une euthanasie active. « Ça les rendrait plus modestes », estime-t-il.

---

1. Chef d'un service qui accueille des malades atteints de la sclérose latérale amyotrophique, la SLA, à l'hôpital de la Pitié-Salpêtrière. Entretien du 22 mars 1999.

Une euthanasie, c'est quelque chose de « psychologiquement extrêmement violent, qui remet en cause de manière très forte notre désir de mort, de pureté, d'évacuer des tas de choses ». On n'insistera jamais assez, dit-il, « sur le syndrome des restants », la douleur de ceux qui restent dans une histoire où l'ensemble des gens ont participé.

Non, décidément, ceux qui brandissent le « droit de mourir dans la dignité » ne savent pas, pour la plupart, ce qu'ils demandent. « MOI, je veux choisir l'heure de ma mort », d'accord ! Mais qui va le faire ? Qui va rester ? Les autres avec leurs problèmes. Vincent Meininger ne se sent pas « d'être uniquement un exécutant de basses œuvres. Parce que, en définitive, il y a quelque chose de ça ! ». La moindre des choses, c'est quand même que les autres puissent dire que c'est très difficile.

Toutes ces déclarations de gens bien-portants, tout ce débat « pleurnichard », émotionnel, juridique, théorique ne recouvre jamais la réalité, dit-il. Il faut regarder les circonstances dans lesquelles les choses se passent, ce qu'elles impliquent, les conséquences qu'elles ont pour tout le monde. Il faut replacer les choses dans leur contexte, au cas par cas. Un contexte dans lequel on fait ce qu'on peut, en fonction du moment. Parler du « droit » ou du « choix » du malade, ça veut dire quoi ?

Vincent Meininger s'occupe de malades atteints d'une maladie très particulière. Une dégénérescence neuromusculaire qui évolue vers une paralysie totale. Arrive donc un moment où, la paralysie gagnant les poumons, le malade ne pourra plus respirer. Se pose alors un choix compliqué : faire une trachéotomie qui permet une ventilation artificielle et permet de continuer à vivre, parfois des années, dans une dépendance totale, ou ne rien faire et laisser la maladie évoluer à un rythme imprévisible et sans savoir comment le malade mourra. Car 20 % des malades atteints de SLA vont mourir d'autre chose, et parmi ceux qui meurent de SLA, 60 % meurent de façon subite la nuit, dans leur sommeil, de troubles cardiaques ou d'embolies pulmonaires. Rares sont donc les malades qui meurent par asphyxie.

Choix compliqué parce que le médecin n'a pas la possibilité de prévoir comment cela va se passer. Il n'en sait rien. Comment être honnête dans sa façon de présenter les choses quand on ne sait pas comment le malade va les ressentir ? « A priori, je ne vais pas présenter les choses de la même façon à une patiente de 22 ans ou à un patient de 80 ans. Et pourtant, qui vous dit que l'un va choisir mieux que l'autre ? J'ai une patiente de 70 ans qui a demandé à être trachéotomisée et qui a vécu quatre ans, très bien. J'en ai une autre qui a 22 ans, qui n'arrive pas à se décider et qui est en train de mourir consciente.

« On croit que le choix appartient à la personne. En fait très peu de personnes font un choix clair : 5 % disent oui à la trachéo, 5 % disent non, le reste, soit 90 % des malades disent : "On verra bien", ou bien ils me disent : "Docteur, c'est vous qui savez ce qui est le mieux pour moi." Mais moi je ne sais pas. De quel droit, par exemple, pouvons-nous dire que ce n'est pas une vie de vivre totalement dépendant, ventilé, pendant des années ? C'est ce que pense le tout-venant. Mais qu'en savons-nous ? Je connais des gens qui vivent comme ça et qui sont heureux. »

Comment peut-on parler de « droit » ou de « choix » du malade quand on sait à quel point celui-ci va être influencé par votre manière de présenter les choses ? Et quand le malade s'en remet à vous, que décider ? Comment savoir si vous avez raison ? Comment savoir si le malade va supporter cette vie de dépendance totale, surtout dans un monde où la société ne donne pas les moyens de s'occuper de ces malades-là ?

Face à cette montagne d'incertitudes qui sont le lot quotidien de sa pratique médicale, Vincent Meininger est conscient d'être dans une « retenue » vis-à-vis du choix de la trachéotomie. Il s'oriente grâce aux deux seules balises qui lui restent : le dialogue, avec un devoir d'honnêteté, et le contrat de non-abandon. Maintenir le dialogue avec le malade, avec sa famille, et l'assurer qu'on ne l'abandonnera pas. Ainsi, lorsqu'un malade choisit la trachéotomie, décision, on l'a compris, extrêmement lourde de conséquences puisqu'elle implique une vie parfois longue de dépendance totale, dont la réussite ne dépend pas seulement du malade mais de son entourage, Meininger estime qu'il ne peut pas laisser quelqu'un s'engager dans cette histoire et le laisser tomber. Le malade a droit à l'erreur. Il va donc le lui dire, et l'assurer qu'il l'aidera à mourir si ce n'est pas vivable. De même qu'il aidera à mourir tout patient qui s'asphyxie.

S'agit-il alors d'euthanasie ou d'arrêt thérapeutique ? Certains introduisent cette distinction dès lors qu'il s'agit d'interrompre une vie qui est maintenue par des moyens artificiels. Mais Vincent Meininger n'aime pas cette subtilité. Pour lui, il s'agit bel et bien d'interrompre une vie, et c'est un acte lourd, difficile, qui ne le laisse pas indemne, ni sans angoisse. Il n'est jamais sûr d'avoir raison, mais a-t-il le choix ? Quand il n'y a pas autre chose à proposer, quelle porte de sortie offrir à un malade qui ne supporte plus de vivre comme ça ? Un sommeil induit ? « La limite est extrêmement fine entre endormir et tuer », dit-il.

Comme je lui fais remarquer que toute la différence est dans l'intention, il répond qu'il s'agit là d'un « rempart fragile qui ne protège que ceux qui y croient ».

– Pour moi, c'est un manque de clarté. Une fois que la décision est prise, il ne faut pas se masquer derrière des « il ne faut pas aller trop loin ». On ne peut pas laisser un patient dans le coma pendant des semaines, ce n'est pas acceptable pour les familles. Il faut savoir finir [1].

Ce qui touche chez Meininger, c'est son honnêteté et la lourdeur du fardeau d'angoisse qu'il porte. Pas une consultation avec ses malades ne se passe

1. Entretien du 22 mars 1999.

sans qu'il les entende se plaindre : « J'en ai marre de me dégrader », « Je ne veux pas être paralysé », « Je veux mourir ». Certes, lorsqu'ils disent cela, les malades demandent d'abord de pouvoir en parler, de cette souffrance, mais ces plaintes deviennent si répétitives que cela finit par être violent.

Cette violence, le docteur Meininger s'est organisé pour la dire et la digérer en dehors de l'hôpital. Il est essentiel pour lui de ne pas faire porter ses propres angoisses aux infirmières. C'est tout à son honneur de vouloir les protéger. Mais ne le paie-t-il pas d'une grande solitude ?

5.

Christine Malèvre

Nous sommes à l'été 1998. Toute la presse en parle. Une jeune et brillante infirmière – n'est-elle pas sortie première de sa promotion ? – vient d'être mise en examen pour avoir délibérément mis fin à la vie de ses malades, une trentaine semble-t-il. Elle dit avoir agi par compassion, ne supportant plus leurs souffrances insoutenables.

Est-ce cela, la compassion ? Tuer l'autre parce qu'on ne supporte pas sa détresse ? Ne s'agirait-il pas plutôt d'un geste de désarroi ? La compassion, c'est tout de même autre chose. C'est une force, une force qui se communique à autrui, qui s'exerce en l'écoutant, en l'aidant à porter sa souffrance.

L'hôpital dans lequel travaillait Christine Malèvre est sous le choc. Ses états de service sont irréprochables. Personne, semble-t-il, n'imaginait ses agissements isolés. Personne ne soupçonnait sa difficulté à supporter la souffrance des malades. Ses collègues la décrivent comme « gentille, consciencieuse, sensible, très dévouée et proche des malades », son médecin-chef dit qu'elle était « bien intégrée à l'équipe et qu'elle assistait aux réunions hebdomadaires [1] ». C'est donc l'étonnement. Comment a-t-elle pu faire une chose pareille ? On cherche, on émet l'hypothèse d'un traumatisme. N'a-t-elle pas été témoin d'un drame quelques mois plus tôt ? Un homme de 73 ans, désespéré, est venu tuer sa femme atteinte de la maladie d'Alzheimer, puis s'est suicidé ensuite. L'infirmière était de service ce jour-là. Elle a entendu les coups de feu et s'est précipitée dans la chambre pour découvrir le couple foudroyé.

L'annonce de sa mise en examen suscite d'emblée une vague de sympathie à son égard. D'autant plus qu'on la perçoit comme fragile. N'a-t-elle pas tenté de se suicider ? Le directeur de l'hôpital reçoit de nombreux appels téléphoniques de la part des familles des malades, exprimant leur soutien et leur reconnaissance à l'adresse de l'infirmière. On garde d'elle un souvenir chaleureux. C'est une personne humaine. Notre secrétaire d'État à la Santé, Bernard Kouchner, donne le ton. « Je ressens de la compassion pour cette jeune femme. Je ne veux pas qu'elle se sente perdue, comme certains malades, isolés, cloîtrés, dans des services où on les regarde mourir [2]. » Des réactions glanées par la presse dans le grand public vont dans le même sens : « Il ne faut pas l'accabler », « Il ne

1. *Le Parisien*, 17 juillet 1998.
2. *Libération*, 27 juillet 1998.

faut pas la condamner », « Ne lui jetons pas la pierre », « Elle a fait preuve d'un grand courage[1] ». Une femme qui a perdu son mari dans le service de pneumologie où travaillait Christine, et qui avait exprimé à une infirmière quelques jours avant sa mort qu'il valait « mieux la mort qu'une agonie aussi pénible » veut savoir si son mari a été euthanasié. « S'il s'avérait que cette infirmière a aidé mon mari à partir, je ne sais pas si je la traiterais de criminelle ou si je lui dirais merci[2]. »

Tous ces témoignages de sympathie et de compréhension s'appuient sur le sentiment général de son extrême solitude. Comment expliquer autrement cet acte désespéré, et surtout sa répétition dans le temps ?

Son avocat l'a bien compris, qui organise sa défense sur le thème du « climat de profonde solitude » dans lequel l'infirmière évoluait[3].

C'est la première chose à laquelle j'ai pensé en apprenant la nouvelle. Je me suis dit : « Comment peut-on arriver à une telle solitude ? À une telle souffrance ? Sans trouver d'autre réponse que de donner la mort ! » Je me suis dit qu'il devait y avoir un dysfonctionnement de taille dans cet hôpital. En effet, l'avocat confirme que « les conditions étaient difficiles, on manquait d'effectifs[4] ». Ailleurs, je lis

1. *Le Parisien* : rubrique « Voix express », 27 juillet 1998.
2. *Le Parisien*, 27 juillet 1998. Propos recueillis par Valérie Urman.
3. *Le Parisien*, 28 juillet 1998.
4. *Libération*, 28 juillet 1998.

que l'équipe était particulièrement instable. « Le turn-over des infirmières y était sensiblement plus important qu'ailleurs, au point que trois des sept postes avaient dû être confiés à des non-titulaires, recrutées pour quelques mois [1]. » Il semble que l'avocat ait demandé que l'instruction fasse la lumière sur le soutien apporté aux infirmières dans une tâche aussi lourde que l'accompagnement de la fin de vie. À sa connaissance, dans cet hôpital, rien n'allait dans ce sens.

Si Christine porte aujourd'hui la responsabilité de ce drame, c'est bel et bien le fonctionnement de tout un service qui en est la cause.

Une telle situation aurait-elle pu se produire si la question de la fin de vie et de son accompagnement avait été une préoccupation essentielle du service ? Si un groupe de parole régulier avait permis aux soignants de s'exprimer ? Le médecin responsable, qui reconnaît par ailleurs la pesanteur de la pression psychologique dans son service, affirme que deux ou trois réunions par semaine permettaient aux soignants de parler entre eux « dans un esprit d'équipe et de confiance ». Je sais pour en avoir l'expérience que ce type de réunions – il faudrait plutôt dire ces transmissions – où l'on fait défiler à toute vitesse les dossiers des patients pour réajuster les traitements – vingt-huit patients en une heure, cela fait deux minutes pour parler de

---

1. *Libération*, 28 juillet 1998. Propos d'Alain Auffray et Dominique Simonnot.

chacun ! – ne sont pas le lieu pour parler de soi et de sa difficulté face à la souffrance psychique des patients. Pour évoquer l'approche de la mort et la meilleure façon d'assister les mourants. Ces questions réveillent des angoisses, des émotions qu'il importe d'exprimer à l'intérieur d'un groupe de parole régulier, animé par un psychologue ou un psychanalyste extérieur au service. Les soignants doivent pouvoir se sentir véritablement écoutés, dans un climat de sécurité affective. Et partager leur vulnérabilité, faire état de ce qui les bouleverse ou les trouble, sans se sentir jugés. Or il semble bien que cette qualité de soutien a fait défaut à notre infirmière.

Les coupures de presse s'accumulent tous les jours. De nouveaux témoignages, de nouvelles informations arrivent. On sent que l'hôpital s'inquiète d'être mis en cause. Les responsables hiérarchiques ont marqué leur étonnement lorsque l'affaire a éclaté. On s'aperçoit maintenant que les collègues de Christine la soupçonnaient depuis longtemps de pratiquer des euthanasies. Certaines l'auraient vue administrer en deux heures de temps des produits prévus pour être perfusés en douze heures. On apprend qu'une enquête interne a révélé un taux de mortalité supérieur à la normale quand elle travaillait dans le service. Pourquoi l'a-t-on laissée faire ? Pourquoi ne l'a-t-on pas confrontée avant ? Cela témoigne-t-il d'un climat de confiance et d'un esprit d'équipe ? La violence avec laquelle elle a été « découverte » alors qu'on soupçonnait ses agissements ne cadre pas avec cette image de bonne entente que les responsables essaient de donner de leur service.

L'enquête progresse et le vent tourne. La petite infirmière sympathique devient un bouc émissaire. Christine Malèvre a ouvert une porte sur une réalité qui fait peur : on meurt mal dans nos hôpitaux. Les douleurs sont mal soulagées, la fin de la vie mal évaluée. Il y a trop de solitude et de silence, pas assez de chaleur humaine. Les familles et les infirmières sont livrées à elles-mêmes, sans soutien, sans accompagnement. Christine Malèvre a ouvert cette porte sur quelque chose de dangereux : la remise en question d'une médecine technicienne et inhumaine. Tout le monde sait qu'elle est nécessaire mais personne ne bouge, ou si peu ! C'est que cette remise en question dérange les habitudes, met en cause les pouvoirs au sein des institutions.

J'ai souvent remarqué que ceux qui « ouvrent des portes » sont balayés par la violence du vent qui s'engouffre dans la brèche pratiquée. Christine Malèvre va l'être vite. Alors que le débat sur les conditions de la fin de vie commence un peu partout, on ne retient plus de ses actes que l'aspect sordide, criminel.

Je lis maintenant que ses collègues qui vantaient son dévouement et sa gentillesse la décrivent comme marginale, solitaire, obsédée par la mort, mal aimée et mal intégrée à l'équipe. Peu à peu, elles se désolidarisent de Christine. Sans doute ont-elles raison de dire qu'elles ne sont pas d'accord avec sa manière d'agir. Elles désapprouvent qu'elle ait pris seule la responsabilité d'abréger les souffrances de ses malades. L'euthanasie, disent-elles, est une solution de facilité, une autre réponse est toujours possible. Va-t-on se croire autorisé à pratiquer l'euthanasie parce qu'un parent demande avec insistance « combien de temps encore » durera l'agonie ? Elles se positionnent et elles ont mille fois raison ! Mais est-ce une raison pour laisser tomber leur collègue ? Que n'ont-elles fait bloc pour réclamer une discussion éthique sur ces agonies difficiles quand il était encore temps ?

Les infirmières de Mantes-la-Jolie ne sont sans doute pas libres de s'exprimer dans le contexte de cette affaire. Certainement pas libres de mettre en cause l'établissement dans lequel elles travaillent et, pour la plupart, font carrière. Mais, partout ailleurs, les infirmières parlent. On découvre combien elles sont seules face à des responsabilités qui les dépassent. Plusieurs journaux leur ouvrent leurs colonnes. Elles se plaignent d'être exposées aux souffrances des malades sans avoir les moyens de les soulager. Il leur faut insister auprès des médecins, parfois plusieurs fois de suite, pour qu'ils « augmentent les calmants ». Certains n'entendent pas, d'autres griffonnent à la hâte, et d'une manière quasi illisible, une prescription de cocktail lytique. C'est l'infirmière ou parfois même l'élève infirmière qui pose la perfusion. Qu'on les laisse livrées à elles-mêmes ou qu'on leur demande d'exécuter un ordre, il n'est presque jamais question de les associer aux décisions thérapeutiques.

Je suis heureuse de lire dans *Libération* le commentaire de Marie-Frédérique Bacqué [1]. Psychologue comme moi, elle a l'occasion d'animer des groupes de soignants. Elle sait bien le peu de cas que les médecins font de l'expérience des « petites mains ». « Elles connaissent les patients beaucoup mieux qu'eux mais personne n'en tire les conséquences en terme de responsabilisation », regrette-t-elle en faisant remarquer qu'en Angleterre les médecins sont beaucoup moins arrogants que chez nous, et que les infirmières y ont un droit de parole et de regard sur ce genre de décisions.

Neuf mois ont passé. Christine Malèvre a publié ses aveux. Entre-temps quelques familles se sont portées parties civiles aux côtés de l'hôpital. Alors qu'aucune plainte n'a été déposée au moment de la révélation des faits. Celle que l'on baptisait la madone de l'euthanasie, Christine au grand cœur et à l'âme sensible, est en train de devenir le diable en personne.

Qu'y a-t-il à l'origine de ce revirement ? Officiellement, plusieurs rapports viennent troubler l'image de l'infirmière compatissante. Une expertise psychiatrique accablante décrit Christine Malèvre comme une personne déséquilibrée, mégalomaniaque, « inconsciente de la portée de ses

---

1. *Libération*, 27 juillet 1998.

actes », « animée d'une fascination morbide », exerçant « une emprise malsaine sur ses malades[1] ».

De surcroît, un nouveau rapport est venu noircir le tableau. Un expert judiciaire spécialisé en statistiques a ausculté l'évolution des taux de décès dans ce service de pneumologie. Il affirme qu'on y mourait trois fois plus quand Christine était de service.

Le juge d'instruction, lit-on dans la presse, aurait pris un net recul avec ses premières impressions et ne croirait plus à l'histoire de cette courageuse infirmière, seule, perdue dans sa compassion, qui n'aurait pas pu résister devant des patients lui demandant à mourir. Il vient, après l'avoir incarcérée pendant une semaine, de requalifier les faits : Christine Malèvre est mise en examen pour assassinat.

On parle d'elle maintenant comme d'une personne malade, dangereuse, une *serial killer*[2]. Pourquoi la charge-t-on autant ? Je ne peux m'empêcher de penser qu'il n'y a pas seulement des motifs rationnels à ce brusque revirement. Quelles peurs se cachent derrière ce lynchage médiatique ? Va-t-on lui faire payer la lâcheté générale face à la mort et aux mourants ?

Après avoir lu son livre : *Mes aveux*[3], je décide de

---

1. Propos rapportés par François Vignolle dans *Le Parisien*, 15 juin 1999.
2. *Le Parisien*, 15 juin 1999.
3. Éditions Fixot, 1999.

la rencontrer. Je voudrais me faire ma propre opinion.

La voilà donc assise, chez moi, une fin d'après-midi. Je ne suis pas là pour l'expertiser, ni pour la juger, ni même pour essayer de comprendre comment une jeune infirmière idéaliste s'est trouvée prise dans un tel engrenage mortifère. Elle est en psychothérapie, et elle essaie dans ce cadre de comprendre pourquoi elle n'a pas pu dire « non ». Je ne veux pas entrer dans ce questionnement intime qui lui appartient. Je l'observe, tandis qu'elle me dit son émotion de me rencontrer. Elle a toujours rêvé de travailler en soins palliatifs ! Son rêve est définitivement brisé. Je la sens sincèrement malheureuse. Ses collègues lui ont reproché sa « fascination morbide », sa trop grande implication affective. Pourquoi est-elle tant attirée par les soins aux mourants ?

– Je ne supporte pas l'idée qu'ils meurent seuls, répond-elle [1].

Bien sûr, on peut toujours se dire qu'elle comble le vide de sa propre solitude en essayant de soulager celle de ses malades. Ou bien que le sentiment d'injustice devant l'agonie de sa grand-mère a pris tant d'importance dans son monde intérieur qu'il lui fallait sans cesse l'apaiser chez les autres ? Je ne perçois pas chez elle de fascination morbide pour le travail auprès des mourants mais une attirance pour un type d'approche très humain et gratifiant. J'ai

1. Entretien du 1er avril 1999.

suffisamment côtoyé de jeunes soignants qui ont choisi de travailler auprès des mourants pour savoir que leurs motivations ne relèvent pas nécessairement de la morbidité. Voici ce qu'écrivaient les infirmières – moyenne d'âge : 30 ans – qui avaient choisi de venir travailler dans la première unité de soins palliatifs ouverte à Paris en 1987 [1] :

« Pourquoi, n'étant ni plus morbides ni plus courageuses que les autres, avoir choisi de se retrouver chaque jour dans un univers où l'on va mourir, et qui plus est l'envisager en toute sérénité ? Peut-être que, au hasard d'une rencontre privilégiée, de moments consacrés à quelqu'un proche de sa fin, nous avons pressenti que ces moments pouvaient être des temps forts de notre vie de soignantes... Peut-être avons-nous compris que ce n'était pas le fait de mourir qui était l'échec de l'hôpital, mais les véritables drames que vivent certains mourants et leurs proches. Peut-être étions-nous prêtes à imaginer auprès d'eux un autre rôle et à partager la conviction des infirmières anglaises et canadiennes que si l'on ne peut plus rien contre la maladie, on peut encore beaucoup pour le malade. Ne pas se contenter d'assurer les seuls soins d'hygiène et de sécurité mais, avec toute l'habileté dont nos mains sont capables, avec toutes les ressources de notre imagination et de notre savoir-faire, réussir à ce que ce corps brisé et

1. Postface au livre de Bernard Martino, *Voyage au bout de la vie*, *op. cit.*

douloureux souffre le moins possible de sa dégradation, subisse au minimum sa dépendance et conserve sa dignité et sa beauté. »

On peut se dire, en lisant ce texte, que la barre du projet de soins de ces infirmières est terriblement haute. S'agit-il de mégalomanie ? N'est-il pas plutôt question d'un défi à relever dans un monde passablement dénué d'humanité ? Les soins palliatifs représentent incontestablement un défi, puisqu'il s'agit « de ce qu'il y a à faire quand il n'y a plus rien à faire ». Et c'est sans doute cette dimension de défi qui a attiré Christine.

Ce qu'elle n'a pas compris, c'est que ce formidable défi ne peut être relevé par une seule personne. Il faut l'énergie et la volonté de tout un groupe de personnes qui s'appuient les unes sur les autres, et travaillent toutes dans un même esprit. C'est ce que j'ai envie de lui dire maintenant qu'elle est assise en face de moi. Elle n'a pas compris grand-chose à ce que sont les soins d'accompagnement. En tout cas, elle a sous-estimé l'importance de la communication interpersonnelle. Croit-elle vraiment qu'on peut faire du « palliatif » tout seul dans son coin ? Et si elle croit que les soins palliatifs consistent à se lier par des promesses impossibles, à aider ses patients à mourir en accélérant les perfusions et en quittant la chambre comme une voleuse, c'est qu'elle n'a vraiment rien compris.

– Non, lui dis-je [1], les soins palliatifs sont

---

1. Entretien du 1er avril 1999.

exactement le contraire de tout ce que vous avez fait. Ils ne peuvent se pratiquer qu'en équipe. Il faut une concertation permanente pour évaluer les demandes de soulagement des mourants. Et surtout, ils ne hâtent jamais la fin.

Prenons le cas de cet homme qui a un cancer de la gorge et une plaie qui se creuse et menace d'atteindre les carotides. Il risque évidemment de mourir d'hémorragie, ce qui est une mort horrible, j'en conviens. Il demande de « faire quelque chose, tout de suite ! [1] ». Il veut partir « tout de suite » ! De quoi a-t-il peur ? Christine Malèvre le lui a-t-elle demandé ? Il a sans doute peur de mourir dans un bain de sang. Pourquoi ne pas en avoir parlé au médecin ? Il aurait sans doute prescrit une sédation.

C'est en tout cas ce qui se fait dans les unités de soins palliatifs. Le médecin prescrit un protocole à portée de la main, dans la chambre du malade, pour qu'en cas d'hémorragie on puisse agir immédiatement. Dans la demande « Tout de suite, tout de suite ! », ce malade n'exprime-t-il pas sa peur d'être pris de vitesse par l'hémorragie ? Il fallait le rassurer. Au lieu de cela, Christine Malèvre est allée chercher du potassium et l'a injecté à son malade.

Au fond, cette histoire montre bien qu'il ne s'agit pas seulement de prescrire de la morphine dans un service pour faire du soin palliatif. Il faut évaluer, anticiper les situations catastrophiques comme les

1. *Mes aveux*, *op. cit.*

étouffements ou les hémorragies, se parler à l'intérieur d'une équipe.

– Les infirmières étaient-elles formées à la communication avec les mourants ?

– Non, répond Christine [1]. Je n'ai eu qu'un seul cours sur ce sujet pendant mes études d'infirmière.

Comment peut-on communiquer avec quelqu'un qui sent venir sa mort si on ne peut pas parler avec lui de cette mort qui l'inquiète ?

Quand Monsieur X [2] pleure en lui disant : « C'est grave ce que j'ai » et que Christine lui répond : « Mais non, on n'est pas certain… il y a des traitements… », n'est-elle pas dans le déni ? Lui sent que c'est grave, et elle le laisse seul avec ce sentiment, parce que ce sentiment lui fait peur. Christine imagine tout de suite la dégradation de cet homme, et la voilà partie dans sa souffrance imaginaire. Il va perdre son autonomie, devenir « une chose que l'on tourne, qu'on lave, qu'on couche, qu'on borde, qu'on attache entre des barrières ». « Ce n'est plus un être humain », écrit-elle. Elle ne supporte pas cette projection imaginaire et interprète tout à travers la grille de sa propre souffrance. Ainsi, quand il lui demande : « Vous m'aiderez quand je serai foutu ? Vous ne me laisserez pas tomber ? », Christine comprend qu'il lui fait promettre de le tuer. Mais qu'est-ce qui lui permet d'interpréter sa

---

1. Entretien du 1er avril 1999.
2. Christine Malèvre, *Mes aveux*, *op. cit.*

demande dans ce sens ? « Je ne veux pas qu'on s'acharne », dit-il encore. N'est-ce pas cela sa véritable crainte ?

Une infirmière formée aux soins palliatifs se serait assise près de cet homme, elle n'aurait pas nié la gravité de son état, elle ne l'aurait pas imaginé perdant son humanité, parce qu'un être humain reste un être humain, même s'il devient dépendant. Elle sait qu'on peut préserver la dignité d'une personne par l'attention et le respect qu'on lui témoigne à travers les soins. Elle l'aurait rassuré : « Non, on ne s'acharnera pas. Oui, je vous aiderai, je prendrai soin de vous jusqu'au bout, vous ne serez pas seul... Toute l'équipe veillera à ce que vous ne souffriez pas. » Voilà des promesses que l'on peut tenir quand une équipe travaille dans le même esprit.

Et ce monsieur qui lui demande : « Promettez-moi, le jour où je serai dans le coma, j'y resterai pas longtemps, hein ? » Pourquoi ne pas lui avoir parlé du coma ? On sait bien que les gens qui vont mourir ne restent jamais très longtemps dans le coma. Pourquoi s'être crue tenue de le précipiter dans la mort, alors qu'il aurait peut-être suffi de lui parler « Quand vous serez dans le coma, vous serez à la porte de la mort, tout près ! Je m'occuperai de vous et vous passerez tout doucement, tout naturellement. Vous n'attendrez pas longtemps, rassurez-vous ! »

Pourquoi Christine s'est-elle fabriqué un secret ? Personne ne le lui a demandé. Elle écrit : « Je n'en ai parlé à personne… C'était une conversation privée, une souffrance personnelle qu'il m'avait confiée [1]. » Ne s'est-elle pas attribué une bien grande importance ? Depuis quand les plaintes des malades seraient-elles des confidences privées ? La souffrance de cet homme n'aurait-elle pas dû être partagée avec le reste de l'équipe ?

C'est ce que je voudrais faire comprendre à Christine. Les soignants ont bien le droit d'avoir leur propre souffrance. Mais elle ne doit pas faire écran et les empêcher d'entendre la vraie demande des patients. Christine écrit qu'elle était « sensibilisée » à la souffrance de cet homme parce que sa grand-mère était morte d'une tumeur au cerveau. Elle n'est pas la seule soignante à être particulièrement sensible à cause de son histoire personnelle. Ce n'est pas un obstacle, à condition d'en être conscient. Et c'est à cela que servent les groupes de parole. Si elle avait pu prendre un peu de recul par rapport à sa propre histoire, avec l'aide d'un psychologue, elle n'aurait pas plongé dans cet enfer.

Je déplore encore une fois qu'il n'y ait pas eu plus de soutien dans l'équipe. C'est vrai qu'une collègue lui a écrit pour lui proposer de « parler » et qu'elle n'a pas saisi cette occasion, mais n'était-ce pas déjà trop tard ? Un climat de confiance dans une équipe, cela se construit dans la durée. Christine aurait

1. Toutes les phrases sont tirées de *Mes aveux*, *op. cit.*

aimé pouvoir se délivrer du poids qui pesait sur sa conscience. Elle me le dit, et je la crois. Je crois qu'elle vivait un enfer. Son livre respire la culpabilité. Je me demande comment on a pu écrire qu'elle était inconsciente de la portée de ses actes. Je n'essaie pas de la disculper, mais l'acharnement contre elle me semble disproportionné. Il ne fait pas la part des choses.

Je suis sensible à toutes les situations de détresse racontées dans son livre. Elle ne les a pas inventées, et j'ai travaillé suffisamment en milieu hospitalier pour savoir que c'est ainsi que cela se passe, trop souvent.

Le médecin à qui on a envie d'aller se confier et qui vous engueule gentiment, mais qui vous engueule quand même, parce qu'il ne supporte pas vos états d'âme. « Si ce médecin m'avait juste un peu consolée, s'il avait pris le temps de quelques secondes de patience au lieu de répondre à mes sanglots par une bousculade, alors... rien d'autre peut-être ne serait arrivé [1]. » Peut-être, en effet...

L'assistant de garde qu'on appelle un dimanche parce qu'un malade n'en peut plus de souffrir et d'étouffer, et qui vous répond : « Ce n'est pas mon malade. Moi, je ne prends pas de responsabilités ! » Je sais qu'il n'y a rien de pire que de voir un malade étouffer. En soins palliatifs, on ne permet pas que ce genre de chose arrive. Dans le service où je travaillais, je n'ai jamais vu un malade étouffer. Il y

1. Entretien du 1er avril 1999.

avait toujours un protocole que l'infirmière pouvait appliquer à tout moment, en cas d'asphyxie. Je comprends que livrée à elle-même, sans aide, face à ces situations extrêmes, une infirmière puisse ne pas avoir d'autre choix que de prendre l'initiative d'une sédation.

La personnalité de Christine ne la porte pas à chercher le contact, à se frotter à l'opinion des autres. Je la sens blessée affectivement, sans doute depuis bien longtemps. Les psychiatres l'ont jugée « très sûre d'elle-même ». Cela me fait sourire. La jeune femme que j'ai devant moi respire l'insécurité, le manque de confiance en elle. C'est une blessée narcissique, comme on dit dans notre jargon. Elle s'est donc construit une mission imaginaire : aider à mourir. Et comme elle n'avait ni la formation ni le cadre institutionnel pour le faire, elle est tombée dans le piège de l'euthanasie, qui n'est pas comme certains le prétendent une « aide à mourir », mais bel et bien un meurtre.

En a-t-elle conscience ? Je n'en suis pas sûre. Elle semble avoir du mal à admettre qu'elle a tué. Elle récuse le mot. Pour elle, il s'agit d'assistance. Elle n'est pas la seule à penser ainsi, et elle est soutenue – et peut-être aussi manipulée – par tous ceux qui militent pour la légalisation de l'euthanasie. On la conforte dans le fait qu'elle a bien fait. Son seul tort aurait été d'agir seule.

Je ne suis pas là pour la juger, mais je me dis que ce face-à-face est peut-être l'occasion de lui permettre de comprendre en quoi elle s'est fourvoyée. Je veux seulement faire naître en elle quelques questions qui lui permettent d'avancer.

Son livre est émouvant et certainement sincère, lui dis-je, mais il me met mal à l'aise. Et je veux lui dire pourquoi.

Il donne une image déformée de la compassion. Ainsi, je lis : « Je suis incapable de ne pas prendre en charge la souffrance d'un patient. » Comment peut-on « prendre en charge » la peine d'un autre quand on ne peut pas porter la sienne ? Cette compassion n'en est pas vraiment. Soulager sa propre souffrance en abrégeant celle de ses patients. Je ne vois vraiment rien d'humain là-dedans ! Nous travaillons beaucoup sur cette notion de compassion, en soins palliatifs. Ce terme de « prise en charge » est démesuré. Il ne correspond pas à la réalité de l'accompagnement. La seule chose que nous puissions faire, c'est d'être là, à côté, d'aider l'autre à porter ce qui peut être trop lourd à porter pour lui, mais nous n'avons pas à le décharger de quelque chose qui lui appartient. Christine parle d'humanité à tout bout de champ, mais cette humanité a le dos large ! Je ne trouve pas particulièrement humain de considérer que l'agonie est une « survie inutile » et qu'un homme que la maladie a diminué « n'est plus un homme à part entière ». Les derniers instants d'un être humain représentent autre chose qu'une attente pénible, ils ont quelque chose de précieux et de mystérieux quand on peut les veiller dans le calme et la tendresse.

Mais comment communiquer du calme et de la tendresse quand on a le cœur envahi par la peur, l'agitation et la colère contre les médecins ?

Je ne trouve pas particulièrement humain, non plus, de rassurer faussement les malades, de leur dire : « Patience, il y a toujours quelque chose à faire... », quand ils sentent qu'ils vont mourir et qu'ils disent : « Je n'en peux plus... » Ni de pousser la seringue alors qu'ils dorment, un peu apaisés. Pourquoi ? Sinon pour s'attribuer un rôle dans leur mort ? Je suis celle qui sait tenir sa promesse ! Christine Malèvre appelle cela « affronter la mort ». Je ne suis vraiment pas d'accord ! Affronter la mort, ce n'est pas la précipiter ni la voler à l'autre.

A-t-elle conscience de sa propre responsabilité dans cette situation de solitude sur laquelle elle revient sans cesse ? Elle se plaint d'avoir été rejetée par les autres, mais qu'a-t-elle fait pour s'en rapprocher ? Ne boudait-elle pas les pauses-café, les jugeant futiles ? « Une perte de temps », dit-elle. Pourtant, lui répondis-je, ce sont ces moments apparemment anodins de la vie en groupe qui soudent une équipe, qui créent des liens de solidarité. Partout où j'ai travaillé, dans l'unité de soins palliatifs, dans l'unité de soins sida, les soignants s'octroyaient ces moments de détente nécessaires, vitaux. C'étaient des bouffées d'air frais dans le quotidien si lourd. Une bienfaisante insouciance. Qui peut vivre en permanence dans la gravité et le sérieux, même quand les gens souffrent et meurent dans la chambre à côté ? Je le lui dis, je pense qu'elle a eu tort de ne pas se mêler à ces petits rituels de la vie d'équipe, de refuser de papoter dans le couloir avec ses collègues[1].

Elle aurait aimé appartenir à une « équipe soudée, fraternelle, compatissante », elle n'y est pas arrivée. Elle se sentait marginale, démodée, avec « parfois le sentiment contradictoire d'être un peu en avance sur certaines[2] ».

A-t-elle compensé une mauvaise image d'elle-même en s'identifiant à une image idéale d'infirmière parfaite ? C'est vrai qu'à la lire on a l'impression que ses collègues étaient indifférentes aux souffrances des malades et qu'elle était seule à avoir une attitude humaine et compatissante.

Avant de partir, Christine veut me poser une dernière question. Les statistiques montrent que les patients mouraient plus souvent quand elle était de service. « Est-il possible que les mourants attendent la présence d'une personne disposée à leur tenir la main pour mourir[3] ? » Je lui réponds que c'est possible. Je n'ai aucune preuve à l'appui, mais j'ai souvent remarqué que les patients mouraient après un nursing ou pendant une toilette, quand, dans cet ultime corps-à-corps avec la soignante chargée des

---

1. Entretien du 1er avril 1999.
2. *Mes aveux*, *op. cit.*
3. Entretien du 1er avril 1999.

derniers soins, ils pouvaient s'abandonner avec confiance et mourir.

Christine avait la réputation – douteuse – d'attirer la mort. On en plaisantait dans le service. « Tiens ! Christine est là, on est tranquilles, c'est pour cet après-midi ! Il s'est avéré que parfois c'était vrai. Des malades qui allaient mal depuis trois jours, qui "traînaient" comme on dit, décédaient ce jour-là comme s'ils m'avaient attendue [1]. »

Je n'ai aucune raison de ne pas la croire. Je sais que ce genre de chose arrive.

Christine se lève et me demande de lui dédicacer *La Mort intime.* J'écris quelque chose sur la confiance que je fais à son chemin. Ce souhait est sincère. Même si elle est tombée dans le piège de la démesure – cette fameuse *ubris* de la tragédie grecque – elle n'a pu le faire que parce qu'il n'y avait pas de garde-fous suffisants en elle et autour d'elle. Il me semble qu'elle sait maintenant tirer la leçon du drame qui est le sien. Elle apprend. Elle sera plus forte ensuite. Elle n'a rien d'un monstre, ni d'une tueuse. Rien d'une victime innocente non plus. Elle assumera son avenir, parce qu'elle est courageuse. J'espère seulement qu'elle sera jugée « par des sages, des vrais sages qui sauront faire la part des choses » comme l'a souhaité un jour un anonyme interrogé par hasard dans la rue.

---

1. *Mes aveux, op. cit.*

6.

Vraie ou fausse compassion ?

On invoque la compassion pour justifier la décision d'abréger, le plus souvent à son insu, les jours de celui qui souffre et qu'on ne peut plus guérir.

L'euthanasie est-elle un « acte réfléchi, dicté par la vraie compassion » ? comme l'affirme Béatrice Piccini [1]. N'est-elle pas souvent, au contraire, un acte irréfléchi, dicté par l'impossibilité d'« être avec » l'autre dans sa souffrance ?

Il serait temps de mettre la compassion à sa vraie place, ne pas s'abriter lâchement derrière elle pour justifier un acte dicté par l'incompétence ou la pitié.

La vraie compassion n'a rien à voir avec ces actes compulsifs et solitaires de soignants livrés à eux-mêmes. Elle se vit en équipe, se partage, se porte à plusieurs. Elle est une mise à nu, un engagement dans lequel on risque sa propre souffrance.

---

1. Béatrice Piccini, *Euthanasie, l'hôpital en question*, *op. cit.*

On pourrait prendre n'importe quel récit d'euthanasie, et se demander : a-t-on agi par pitié ou par compassion ? La différence entre les deux réside dans l'engagement de sa propre souffrance aux côtés de celle de l'autre.

Prenons l'histoire de Monsieur F telle qu'elle est racontée par Béatrice Piccini.

Monsieur F souffre de sa dégradation physique et d'imposer à sa femme et à ses enfants « l'odeur âcre de sa chambre, tenace, persistante, les liquides jaunâtres, verdâtres qui coulent hors de son corps amaigri », ce corps qui lui est devenu « comme étranger ». Il se rend compte que sa femme ne supporte plus de le voir décliner, et devient de plus en plus dépressive.

La mort au quotidien est souvent sordide, la description de l'infirmière ne nous épargne aucun détail. Mais cette misère-là fait aussi partie de notre humanité. Il ne s'agit pas de la nier, mais de ne pas laisser ce sordide-là envahir tout le champ de notre relation à l'autre. Contrairement à la pitié, la compassion, c'est de ne pas réduire la personne à ce sordide-là.

Or c'est précisément ce que l'infirmière va manquer. Elle alerte d'abord le médecin anesthésiste dont la réponse « raisonnable, médicamenteuse, conventionnelle » la laisse seule devant un patient qui souffre : « Il a ce qu'il faut. Il a déjà des calmants ! » N'y a-t-il pas une autre réponse à apporter que des calmants ? L'infirmière Béatrice ne voit qu'une issue : augmenter les doses, en finir ! Endormir pour toujours cette souffrance morale. À aucun moment elle ne se demande si cet homme désire autre chose.

N'est-il pas à certains moments comme un enfant qui appelle sa mère ? Ce « délire » affole l'infirmière. « Maman, vous ! maman ! » Glacée, elle ne pense qu'à une solution, augmenter encore les doses. Pourquoi ne lui vient-il pas à l'idée que cet homme, dans sa détresse, réclame qu'on le prenne dans ses bras comme un enfant, qu'on le berce, et lui donne cette sécurité dont il a besoin ? Elle n'y pense pas. Peut-être a-t-elle peur de cette proximité affective ?

« S'il vous plaît, aidez-moi ! » gémit l'homme.

Monsieur F maintenant veut mourir. Il a compris qu'il ne trouverait pas la vraie compassion dont il a besoin. Une tendresse humaine. Personne ne viendra à côté de lui, parler doucement, lui dire qu'il peut se laisser aller à mourir, lui demander ce qui lui ferait du bien, en ces derniers instants. Personne ne viendra le veiller tranquillement comme une mère veille son enfant angoissé au seuil de la nuit, lui raconter des histoires, lui dire un poème, lui chanter quelque chose. Ce sont ces rites d'endormissement que l'on a perdus aujourd'hui. Monsieur F a compris que cette compassion-là, il ne la recevrait pas. Il insiste donc pour en finir : « Pour moi, c'est fini ! »

Béatrice pense sincèrement – sa sincérité n'est sûrement pas en cause – qu'elle doit répondre à l'appel de ce patient et que c'est cela être humaine.

Mais si cet homme demandait autre chose ? Non pas qu'on lui donne la mort, mais qu'on lui permette de mourir ? Non pas qu'on se débarrasse de lui et de sa plainte, mais qu'on l'accompagne jusqu'au bout de son histoire ?

Augmenter les antalgiques ne soulage pas de la solitude ni du besoin d'être entouré au seuil de la mort. Monsieur F n'est ni le premier ni le dernier mourant à appeler sa mère dans un moment de détresse et d'angoisse. Quelque chose d'une sécurité primaire, archaïque, est cherché dans ces ultimes moments. Un corps-à-corps, un contact enveloppant sont parfois les meilleurs remèdes à l'angoisse que suscite le pressentiment de la mort. Mais ce remède-là n'est pas autorisé à l'hôpital. Quel est le soignant qui ose entourer un patient de ses bras et lui donner le réconfort d'un bon contact chaud et apaisant ?

Non ! On préfère augmenter les doses de calmants, même lorsque la douleur est soulagée et que la souffrance est morale. Et Béatrice quitte la chambre comme une voleuse, coupable, « taraudée par l'angoisse », laissant Monsieur F seul dans son sommeil de mort.

Aucun médecin ne parle mieux de la compassion que Xavier Emmanuelli, lorsqu'il raconte la scène dont il a été témoin dans un camp de réfugiés, à la frontière de la Thaïlande et du Cambodge. Il nous l'a racontée à Toulouse, où je l'ai rencontré pour la première fois. Nous étions invités à une table ronde sur le thème de « la tendresse » Il y avait là aussi Jean-Pierre Relier, qui dirige un service de néonatalogie à l'hôpital Cochin. Entendre deux médecins de leur acabit parler de compassion est un bonheur. C'est si rare, finalement, les médecins qui reconnaissent l'importance, la nécessité de cette proximité de cœur avec celui qui souffre. Il y a forcément de la tendresse dans la compassion. Il ne s'agit pas de sensiblerie ou de sentimentalisme. La tendresse n'est pas ce sentiment doucereux, un peu mièvre, qu'on lui prête parfois. La tendresse est forte. Le psychanalyste Bernard This aime bien rappeler que les Grecs la désignaient sous le nom de *storgé*, ce qui est fort, solide. La tendresse est donc un sentiment qui rend solide, qui donne de la force, qui soutient.

Cela se passe donc pendant la guerre entre le Cambodge et la Thaïlande. Deux Médecins sans frontières visitent un camp de réfugiés. Les camps ne sont pas à l'abri des tirs de mortier. Tous les jours, un camion ramasse les blessés ou les tués. Xavier Emmanuelli doit faire le tri, rapidement, sans états d'âme. Il faut évaluer qui a des chances de survivre, qui n'en a pas. Ce jour-là, Daniel Pavard, l'autre médecin, et lui se penchent sur une jeune femme éventrée par un éclat d'obus. Sa robe est ensanglantée. Du premier coup d'œil, ils savent qu'elle est perdue. Ils ne pourront pas la sauver, pas avec les moyens précaires dont ils disposent. Emmanuelli s'éloigne déjà pour continuer sa tâche. Il faut faire vite, car d'autres attendent. C'est alors que Daniel monte sur le plateau de la Toyota et fait quelque chose qu'Emmanuelli n'oubliera jamais, quelque chose qui reste gravé en lui pour toujours.

Il vient se placer derrière la jeune Cambodgienne, « referme sur elle ses bras, loge sa tête couverte de sueurs froides sur sa poitrine à lui ». Il lui caresse les cheveux, doucement. Il lui parle, alors qu'elle ne peut pas comprendre un mot de ce qu'il dit. « Il lui parle doucement comme il la caresse, avec une délicatesse infinie. » La jeune femme meurt dans les bras de cet inconnu qui l'arrache ainsi à la solitude ultime.

« Je venais de voir un geste de compassion. Mais je ne savais jusque-là ni la reconnaître ni lui donner son nom », avoue-t-il. Sur le coup, il a pensé que Daniel dépassait les bornes, celles du métier. Un professionnel ne doit-il pas éviter ce genre de transgression ? Mais, en même temps, une autre pensée lui vient : une pensée en totale contradiction avec la première. Il se dit qu'il n'aurait pas su le faire, et que c'est pourtant exactement ce qu'il fallait faire.

Daniel l'avait fait, sans réfléchir, n'écoutant que son cœur [1].

C'est cette spontanéité affective qui fait cruellement défaut dans la relation avec ceux qui connaissent les affres de l'agonie, la solitude immense devant la mort. Pour Xavier Emmanuelli, « il faudrait retrouver cet état d'enfance [2] », cette indépendance à l'égard des convenances qui ferment, à ceux qui se veulent adultes, sérieux, et responsables, l'accès au cœur, à l'intuition juste. Peut-on le faire quand on a pris l'habitude de prendre, pour se préserver, du recul ? C'est une question qu'il pose, et c'est une vraie question. L'élan de la compassion et la distance professionnelle sont-ils compatibles ?

Des professionnels à visage humain

Comment rester une personne humaine, sensible à la souffrance de l'autre, sans se perdre dans cette souffrance ?

On sent à quel point la profession soignante souffre aujourd'hui de ne pas disposer des moyens d'être à la hauteur de la dimension humaine de sa tâche. Il y a la réalité difficilement contournable du manque de temps et du manque d'effectifs. Mais il y

---

1. J'ai repris ici les propres termes de Xavier Emmanuelli qui raconte cet épisode dans *Prélude à la Symphonie du Nouveau Monde*, Odile Jacob, 1998.
2. Entretien du 1er avril 1999.

a aussi une véritable crise d'identité. Comment « prendre soin de la personne » qui souffre, dans un monde « hypertechnicisé » et *clean* qui refuse le spectacle de la déchéance, un monde où la maladie, le handicap et la vieillesse n'ont plus leur place ?

« Si le monde sentait le poids de la souffrance, il porterait les pauvres comme une couronne de roses à son front », écrit Rilke. Ce monde-là n'est pas le nôtre. Notre monde ne sait pas honorer ses « pauvres ». Et celles qui, autrefois, savaient le faire, les infirmières, refusent souvent ces valeurs religieuses – le dévouement, la charité, l'oblativité –, au nom desquelles on exploitait leur bonne volonté. Pourtant, si elles ont choisi cette profession, c'est tout de même pour « prendre soin ». Ce n'est pas seulement pour être des sortes de robots !

Les soignants ont donc besoin qu'on les aide à vivre leur humanité sur un registre nouveau. Non pas celui du dévouement, mais celui de la compétence humaine. Les notions de dévouement, de charité, d'oblativité sont dépassées, voire rejetées. On fait les choses parce qu'on aime les faire, parce qu'elles ont un sens, et parce qu'elles vous apportent quelque chose. On donne, certes, mais avec la conscience de tout ce que l'on reçoit en échange. De même est-on de plus en plus alerté sur tout ce que la sollicitude peut masquer de désir de toute-puissance, de besoin de se rassurer ou de se déculpabiliser. La pensée psychanalytique a largement contribué à cette prise de conscience.

Frank Ostaseski, directeur du Zen Hospice de San Francisco (USA), ose assumer qu'il fait ce travail parce qu'il l'aime. Pas pour faire du bien aux autres, mais parce qu'il est conscient qu'en prenant soin de l'autre il prend soin de lui-même. C'est cela, la clé de la compassion.

Frank est un bel homme d'une cinquantaine d'années, marié, père de quatre adolescents. Il pratique le zen depuis des années, et la formation qu'il donne aux soignants et aux bénévoles qui travaillent dans son service s'en inspire largement. Il a une façon très simple, non dogmatique, de mettre les principes de cette sagesse millénaire au service de tous.

C'est à Munich que je le rencontre pour la première fois. Nous sommes en novembre 1996 à un congrès sur « La vie et la mort » qui rassemble plus de mille cinq cents soignants [1]. Il arrive sur l'estrade, avec ses deux mètres de haut et ses cheveux presque blancs, et s'assoit face au public, non pas derrière une table, comme le font d'habitude les orateurs, mais sur une chaise, exposé aux regards et à l'attente de tous ces soignants en souffrance. Dès les premiers mots, c'est la présence et l'humanité de cet homme qui touchent. Chacun a l'impression qu'il s'adresse à lui personnellement.

Comment toucher les soignants sinon en leur

---

1. Frank Ostaseski, « Exploring our intention in service », Munich Conference on Death, Dying and Living. Publié dans *View* n° 8, 1997 (Rigpa, 330 Caledonian Road, Londres).

parlant d'eux, de leur souffrance, de ce qu'il nomme la « maladie des soignants » ? Une maladie plus pernicieuse que le cancer ou le sida, la maladie de la toute-puissance.

« Nous nous prenons pour des "sauveurs", constate-t-il, et nous nous rassurons ainsi sur notre utilité ou notre identité. Cela nous donne un sentiment de pouvoir. Nous nous sentons respectables. Mais si nous n'y prenons garde, cette identité-là nous enferme. Elle nous sépare de l'autre, l'autre qui souffre et que nous tenons à distance avec notre pitié, notre peur, notre "chaleur professionnelle" et même avec nos actes charitables. Mais ce travail n'a rien à voir avec la charité ! »

Le ton est donné. Il n'est pas là pour prêcher de bons sentiments. D'ailleurs les malades n'ont que faire de bons sentiments. N'est-ce pas ? Ce qu'ils attendent de nous, c'est que nous soyons honnêtes. Il y a comme une onde de choc dans la salle. Chacun sent bien qu'il dit vrai.

Chacun se souvient de cette lettre d'une infirmière mourante à ses collègues. Élizabeth Kübler-Ross en a publié un extrait dans un de ses livres : « Pourquoi avez-vous peur ? Après tout c'est moi qui meurs ! je sais que vous êtes mal à l'aise, que vous ne savez ni que dire ni que faire. Mais croyez-moi, on ne peut pas se tromper en montrant de la chaleur. Laissez-vous toucher. C'est de cela que nous avons besoin. Nous pouvons poser des questions sur l'après et le pourquoi, mais nous n'attendons pas vraiment de réponse. Ne vous sauvez pas, attendez ! Je veux simplement savoir s'il y aura quelqu'un pour me tenir la main quand j'en aurai besoin. Après tout, votre professionnalisme en serait-il vraiment menacé ? Alors il ne serait peut-être plus si dur de mourir à l'hôpital... car on y aurait des amis [1]. »

Frank Ostaseski est en train de confronter les soignants à leur plus grande peur, celle de perdre la face. Il les exhorte à oser être eux-mêmes.

« N'ayez pas peur de vos blessures, de vos limitations, de votre impuissance. Car c'est avec tout cela que vous êtes au service des malades, et pas avec votre supposée force, votre supposé savoir ! »

La salle est tout entière suspendue à ses paroles. C'est qu'il est si rare d'entendre une telle incitation à l'authenticité dans les milieux médicaux.

« Je travaille tous les jours avec des gens qui ne sont pas faciles. Ils en ont bavé dans leur vie, ils ont perdu confiance dans l'humanité, et ils sont sur leurs gardes. Si je veux leur être utile, j'ai intérêt à être clair et honnête avec eux quant à mes motivations, continue-t-il. Pourquoi est-ce que je fais ce travail ? Pour atteindre un objectif ? Permettre à ceux qui meurent de partir en paix après s'être réconciliés avec eux-mêmes et avec les autres ? Non ! Ce genre d'objectif conduit à la manipulation, et c'est épuisant. Je fais ce travail parce que je l'aime, et parce que, en prenant soin des autres, je

---

1. Dans *La Mort, dernière étape de la croissance*, Élizabeth Kübler-Ross, Éditions Québec-Amérique.

prends aussi soin de moi-même, un point c'est tout ! J'essaie de me voir dans l'autre et j'essaie de voir l'autre en moi. »

Frank est en train de nous proposer de sortir du cadre traditionnel de la relation d'aide paternaliste, où « celui qui peut, qui sait, qui est fort » assiste celui qui est « impuissant, ignorant et faible » et qui doit le rester. La relation d'aide est fondée sur l'inégalité, sur un rapport de forces qui fait du malade un débiteur. On comprend que tant de malades ne supportent pas de se sentir diminués ni dépendants !

Une autre approche est possible, celle de la compassion, un mot qui signifie souffrir avec, mais dans lequel c'est le « avec » qui est le plus important. On ne sait jamais qui accompagne qui, et cela montre bien la réciprocité de cette relation. L'autre ne me doit rien. Il n'est pas diminué à mes yeux, car à travers son expérience de souffrance il m'apporte quelque chose, il me rapproche de moi-même, de ma condition d'être humain souffrant moi aussi. Il y a toujours un bénéfice mutuel dans l'accompagnement.

Aussi exhorte-t-il les soignants à explorer leur propre souffrance, à l'écouter, à en prendre soin, au lieu de la refouler. C'est seulement ainsi qu'ils sauront dépasser leur peur ou leur pitié pour écouter l'autre avec compassion. La solitude des malades serait vaincue si les soignants comprenaient cela. Si seulement ils osaient se montrer dans leur authenticité, avec leurs émotions et leurs faiblesses ! Seule l'authenticité crée un pont entre soignant et soigné.

« Un après-midi, poursuit-il, je me trouvais au chevet d'un de mes amis très chers malade du sida. En l'espace de quelques heures il a perdu l'usage de la parole, de ses mains, de ses jambes. Ça m'a flanqué une frousse royale ! J'ai fait tout ce que j'ai pu pour l'aider. Il avait d'énormes fistules anales et des diarrhées constantes. Nous faisions sans cesse des allées et venues des toilettes à la baignoire. Ça a duré toute la nuit. J'étais épuisé. Tout ce que je souhaitais, c'était qu'il se couche et que je puisse dormir. J'ai tout essayé, les cajoleries, les manipulations, les conseils paternalistes... et puis tout à coup, au beau milieu de sa confusion, il s'est mis à parler : "Tu en fais trop", a-t-il dit. C'était vrai. Alors je me suis arrêté, je me suis assis à côté des toilettes et je me suis mis à pleurer. Pendant toutes nos années d'amitié, nous n'avons jamais eu un moment de rencontre aussi intime. Nous étions complètement désemparés, mais ensemble. »

Accepter sa vulnérabilité

Ce qui oriente les soignants vers le choix de leur profession, c'est le désir plus ou moins conscient de travailler au cœur de l'humain. Avec le pressentiment que ce type de travail ouvre sur des joies et des satisfactions au moins égales, sinon supérieures, aux peines et aux difficultés qui lui sont propres.

Néanmoins, cette proximité avec la souffrance d'autrui, si elle favorise l'échange et la rencontre, peut être aussi vécue comme menaçante.

Le professeur David Barnard[1] cite le témoignage d'un médecin qui assume son rôle professionnel auprès d'une patiente. Il l'interroge sur l'histoire de sa maladie. Il s'informe, il cherche à comprendre la situation compliquée de sa patiente d'un point de vue « bio-psycho-social ». Et puis tout d'un coup se produit un moment de profonde intimité. Il se surprend à exprimer à sa patiente qu'il commence à comprendre combien ce qu'elle vit est dur. Voilà comment il décrit la situation : « Ses yeux se remplirent de larmes et elle acquiesça lentement de la tête. Voyant combien elle était touchée que quelqu'un comprenne, ne serait-ce qu'un instant, l'enfer personnel qu'elle subissait, je sentis mes yeux se remplir de larmes à leur tour et un grand frisson parcourut ma colonne vertébrale. Pendant un moment, j'ai eu l'impression que nous ne faisions qu'un, que nous faisions l'un et l'autre partie d'un grand tout. C'était très paisible et rassurant et même plein d'amour. »

David Barnard commente ce passage en disant que le médecin et sa patiente se sont rencontrés au cœur de leur être. Tandis que leurs regards se rencontraient dans ce moment de compréhension

---

1. David Barnard, « The promise of intimacy and the fear of our own undoing », *Journal of Palliative Care*, 1995.

et d'acceptation profonde, à la fois le médecin et sa patiente ont été arrachés à leurs rôles habituels pour entrer dans le royaume de la rencontre interpersonnelle.

Se référant à la distinction que le philosophe Martin Buber établit entre le « je » et le « ça » d'une part, et le « je » et le « tu » d'autre part, David Barnard nous dit que dans ce moment de rencontre authentique et profonde entre le médecin et la patiente, il y a eu passage de la relation « je-ça » à la relation « je-tu ». Le médecin ne s'est pas contenté de percevoir de manière juste la souffrance de sa patiente et de la reconnaître de manière objective, il a laissé tomber ses barrières défensives, s'est ouvert à sa propre vulnérabilité et, en faisant cela, il a véritablement rencontré sa patiente comme la personne qu'elle était et s'en est trouvé transformé lui-même.

L'accompagnement des personnes en fin de vie offre constamment l'occasion de ce type de rencontres intimes imprévisibles. J'aimerais, à ce propos, évoquer ici une situation vécue par une jeune infirmière, surprise par l'irruption d'un tel moment de compassion. Elle venait d'accueillir une jeune femme de son âge atteinte d'une tumeur et qui avait été informée de l'impossibilité de l'opérer. Après l'avoir confortablement installée dans son lit, l'infirmière s'est assise à côté d'elle et, sans doute touchée par cette marque de disponibilité, la jeune patiente a établi spontanément le contact, en prenant la main de l'infirmière. La regardant droit dans les yeux, elle lui a alors demandé : « Dis-moi, est-ce que je vais mourir ? » L'infirmière s'est alors sentie comme aspirée au fond d'un puits. Tout se défaisait en elle, elle ne savait quoi répondre. Elle est donc restée muette, totalement désemparée, mais elle est restée là. Elle n'a pas cherché à fuir, ni à contourner la question. Elle n'a pas cherché à cacher les larmes qui maintenant remplissaient ses yeux. La situation lui demandait non pas de « dire la vérité » mais de rester vraie, c'est-à-dire en contact avec son sentiment du moment, un sentiment d'impuissance radicale. Quelques secondes à peine ont passé, et la jeune patiente a repris la parole : « J'ai compris... je te remercie... Maintenant, parlons d'autre chose ! »

Le paradoxe de cette situation, c'est que montrer à un patient que l'on est démuni, ému, vulnérable, loin de l'affaiblir, lui permet au contraire d'accepter sa condition humaine et la difficulté de son destin.

Car en osant rester là, au cœur de son impuissance, il se produit une communion intime. L'effondrement de nos stratégies défensives est souvent une grâce, une bénédiction, lorsque nous osons partager nos sentiments avec nos patients. Oser dire ou montrer : « Moi aussi je suis démuni, moi aussi je souffre de ne rien pouvoir faire pour empêcher ce qui t'arrive. »

Ne faut-il pas accepter d'être nu devant l'autre, abaisser ses barrières, entrer dans son impuissance et s'en servir comme d'un tremplin qui propulse dans un moment de rencontre authentique ? Alors, la relation bascule. Ce n'est plus une relation entre une personne forte de son pouvoir ou de son savoir et une personne affaiblie et impuissante. C'est une relation entre deux personnes qui souffrent, chacune à leur manière, de leur condition d'être mortel.

David Barnard affirme qu'il y a une fécondité de ces rencontres dans la compassion. La spontanéité de la réponse émotionnelle de l'infirmière a créé un lien de solidarité dans la souffrance avec sa patiente, au moment où précisément celle-ci pouvait se sentir profondément seule. L'infirmière a pu accompagner sa patiente jusqu'au bout, avec un sentiment de force et de paix qui s'enracinait dans la confiance réciproque que ce court instant d'intimité avait créé entre elles. Quant à la patiente, profondément rassurée sur la possibilité qu'elle avait d'exprimer ses sentiments, quels qu'ils soient, elle a montré qu'elle pouvait faire face avec courage à la menace de mort qui pesait sur elle.

Plusieurs questions se posent au moment où l'on réfléchit à la manière de développer les soins d'accompagnement. Peut-on apprendre la compassion ? Peut-on apprendre à une infirmière à s'asseoir au chevet d'un mourant en détresse, à laisser tomber ses barrières défensives, à laisser parler son cœur ? Peut-on apprendre à un chef de service ou à une surveillante à écouter avec humanité une infirmière désemparée ? La compassion, nous venons de le montrer, ne se décrète pas et ne s'apprend pas dans les livres, ni dans les cours. Elle jaillit spontanément. La question est de savoir si un soignant est capable de l'accueillir ou s'il va s'abriter derrière des stratégies défensives, par peur de ne pas maîtriser la situation.

Dans une équipe, on ne peut pas enseigner la compassion mais on peut pratiquer ce que j'appelle « la compassion d'équipe ». Au lieu de taire la souffrance des soignants, ou de la nier, lui faire une place, la reconnaître, travailler avec elle comme avec une alliée. C'est un regard tout différent sur la souffrance qu'il s'agit de poser.

La compassion d'équipe

On ne peut pas prétendre aider une personne en souffrance si on n'assume pas d'abord sa propre souffrance. C'est pourquoi tout soignant, dont la vocation est de prendre soin de celui qui souffre, se doit d'assumer ses propres blessures.

Faisant référence au mythe de Perséphone, une de mes collègues psychanalystes de Montréal nous expliquait, il y a quelques années, que tout soignant confronté à la maladie et à la mort de ses patients vit une « perte d'innocence » comme Perséphone, enlevée à sa vie tranquille et contrainte de vivre six mois par an aux fins fonds des enfers. Le mythe de

Perséphone, c'est le mythe du « soignant blessé [1] ». C'est le mythe de toute personne qui doit accepter que la vie est faite de douleurs et de séparations, mais que c'est parfois au cœur de ces souffrances qu'on rencontre les plus grandes vérités et les plus grands sentiments. Car « le soulagement et la transformation de l'angoisse ne sont possibles que lorsque soignant et soigné peuvent se rencontrer, humblement, sur le même terrain de l'expérience humaine, reconnaissant que nous portons tous en nous joie et douleur, vie et mort, et que c'est par les choses qui nous blessent et nous pénètrent qu'on devient vulnérable, donc ouvert aux autres et véritablement humain. Il n'y a pas de soignant parfait, il n'y a pas de patient parfait, il y a juste des êtres humains qui parfois se rencontrent, parfois se manquent, mais acceptent de continuer ensemble, dans le mystère qu'est la vie ».

Cette acceptation de la souffrance et de l'angoisse comme faisant partie de la vie libère la capacité de compassion.

Comme me le rappelait Marie Gabrielle Hentgen, cette infirmière chargée de former les soignants de l'Assistance publique, il est bien difficile de les inviter à réfléchir à cette part de souffrance propre à l'humain, impossible à éradiquer à moins de supprimer la conscience, dans un monde

1. Jan Bauer, « Le soignant blessé », conférence internationale sur la prise en charge extrahospitalière des personnes vivant avec le VIH-sida, 27 mai 1995.

où on laisse croire que toute souffrance doit et peut être supprimée. Il y a là une illusion sur laquelle il faut sans cesse revenir. Ne sommes-nous pas tous vulnérables, mortels et donc souffrants ? La souffrance, c'est quelque chose d'humain, de vivant. Vivre pleinement, c'est accepter cela. Or trop souvent on objective la souffrance, on oublie la réalité de l'homme souffrant, capable de transcender sa souffrance, et de se faire un chemin à travers elle.

Dans une conférence donnée à l'Amicale de Reuilly [1], Françoise Dolto conseillait aux soignants : « L'important, lorsque vous sortez de la chambre d'un malade, c'est de ne plus penser à ce qui vient de se passer. Remettez-le dans les mains de ses esprits protecteurs. Tant que vous n'êtes pas avec lui, ne gardez pas cela pour vous ! Afin de favoriser ce renouvellement, cette dépollution, allez dans la ville faire n'importe quoi, prendre un café, vous asseoir dans un jardin public... Il faut avoir une vie personnelle, un violon d'Ingres. Ce n'est pas possible de "porter" ce métier jour et nuit et d'être rempli de fantasmes dont on ne sort pas ! »

Françoise Dolto exhorte aussi les soignants à assumer leur vulnérabilité devant les malades. « "Moi aussi je suis fatiguée, je peux m'asseoir ?"

1. Françoise Dolto, « Le soignant face à la régression causée par la maladie incurable ». Ce texte, non daté, n'a pas été publié, à ma connaissance.

Asseyez-vous trente secondes, ce sera énorme que vous ayez dit que vous aussi, vous êtes fatiguée !... Il y a des gens que vous aidez en disant : "Il faut m'aider un peu. Je suis obligée d'aller faire quelque chose de très difficile. Il faut penser à moi !" Cela aide beaucoup les malades de penser qu'ils peuvent, malgré leur impuissance, faire quelque chose pour vous, ne serait-ce que par la pensée. »

L'éthos d'équipe

Parallèlement à la compassion d'équipe, c'est ce que Jean-François Malherbe [1] appelle « l'éthos d'équipe » qu'il faudrait cultiver. « Une façon d'habiter ensemble harmonieusement la même maison. » Une culture partagée, une habitude, une espèce de coutume d'équipe de se réunir pour parler, pour discuter, même *a posteriori*, des décisions difficiles souvent prises dans l'urgence.

Lors d'un colloque à Montréal [2], Jean-François Malherbe nous demande de réfléchir à notre réalité d'êtres humains, d'êtres de parole, reliés entre eux par la parole. « Ne craignons pas d'être des victimes de l'incertitude. La meilleure façon de l'être, c'est de la nier. C'est au contraire en exprimant son

1. Jean-François Malherbe, *Homicide et Compassion*, Médiaspaul, Montréal, 1996.
2. XIe congrès international de soins palliatifs de Montréal, 7-11 septembre 1996.

incertitude, son angoisse, que l'on peut le mieux l'exorciser. »

Il faut donc parler, discuter ensemble. Mais discuter d'une façon éthique. « Si notre discussion est marquée par le rapport de forces, par la séduction, la manipulation, le mensonge, si notre discussion n'est pas éthique, comment voulez-vous qu'il en sorte une conclusion éthique ? »

Malherbe propose alors sept recommandations.

1. Si vous prétendez avoir une conversation avec quelqu'un, il ne faut pas le « tuer » au sens symbolique. Il ne faut pas le faire taire, l'empêcher de dire ce qu'il a à dire. Si on est imperméable à ce que l'autre dit, on est violent. On « tue » l'autre.

2. Évitez d'instrumentaliser les autres dans la discussion, de les manipuler. Tâcher d'obtenir un consensus sans séduire, c'est difficile !

3. Ne mentez jamais.

4. Chacun a des convictions de départ ou bien une perception de la situation. Il faut repérer les convictions, subjectives par définition, les mettre clairement sur la table, sans honte. C'est dangereux, parce que cela peut tourner au conflit, mais c'est nécessaire pour réussir à nous défaire de préjugés injustifiés. Un moyen exigeant pour cela, c'est de se demander s'il y a des exclus dans la discussion. Quels sont les exclus, et pourquoi ?

5. Il s'agit de construire un consensus critique. Tâchez de formuler le projet d'une décision qui emporte le projet de tous. Une position commune que chacun peut endosser.

6. Quand cette formulation n'est pas possible, que faire ? Il faut prendre acte des positions en présence. Il faut arriver à se mettre d'accord sur ce sur quoi on n'est pas d'accord. Arriver à exprimer clairement la divergence de vues. C'est alors un *dissensus* avéré.

7. Que faire dans ce cas ? Il faut formuler un compromis que chacun peut endosser.

Personne ne détient la vérité, ni la définition du bien. Quand on pratique la discussion éthique, on peut réduire l'incertitude, en réduire la marge. On peut, en pratiquant ce qu'il y a de plus humain, la parole, s'éloigner du mal. Il arrive qu'on parvienne à un vrai consensus et que la situation se modifie ou que la pensée évolue, mais aucun consensus ne saurait contraindre une conscience personnelle à se taire.

7.

Faut-il une loi sur l'euthanasie ?

Nos parlementaires devront tôt ou tard répondre à cette question.

82 % des Français [1] seraient favorables à une modification du Code pénal, pour la bonne raison que la loi actuelle qui assimile l'euthanasie à un homicide n'est plus adaptée à la réalité. Nous l'avons rappelé, l'euthanasie se pratique. Un médecin sur deux le reconnaît, et bon nombre de soignants admettent que c'est une pratique courante dans leur service. Pourtant, les condamnations sont très rares. Cela ne revient-il pas à une dépénalisation de fait de l'euthanasie ? Doit-on se satisfaire d'une loi qui n'est pas appliquée, ou doit-on la réviser pour mettre fin à l'hypocrisie qui règne dans les services et à l'euthanasie clandestine, en proposant un cadre clair auquel chacun puisse se référer ?

---

1. Selon le sondage Ipsos des 4 et 5 septembre 1998 auprès d'un échantillon représentatif de 965 personnes.

On remarquera, non sans intérêt, que si la majorité des gens se dit favorable à une loi, seulement 6,9 % des parlementaires le sont[1]. Comment expliquer un tel écart ? Y aurait-il d'une part une réponse émotionnelle du grand public, conditionnée par la peur de souffrir au moment de sa mort, et de l'autre une réponse plus réfléchie, consciente des enjeux et des risques d'un tel changement, de la part de ceux qui engageaient leur responsabilité dans un tel projet ?

Pourquoi vouloir changer la loi ?

Henri Caillavet est catégorique. Telle qu'elle est, la loi ne joue plus son rôle de garde-fou. Elle n'empêche pas les dérives ni les euthanasies clandestines. Il faut donc la changer.

– Personnellement, je penche pour le modèle néerlandais. L'interdit de tuer doit demeurer. L'euthanasie doit rester un crime, mais en cas d'« état de nécessité », quand les souffrances sont intolérables, que le patient ne peut plus continuer à vivre et réclame la mort, un espace de sécurité juridique doit être garanti aux médecins qui recourent à l'euthanasie[2].

Quand je fais remarquer à Henri Caillavet que,

1. Selon une enquête de l'ADMD, 1997.
2. Entretien du 25 mars 1999.

dans les faits, les euthanasies sont très rarement condamnées, il s'échauffe.

– C'est la porte ouverte à l'arbitraire. Tout ne doit pas dépendre du bon vouloir des magistrats !

Il me fait remarquer à juste titre que Christine Malèvre risque la prison à vie, alors que le docteur Duffaut qui a injecté du chlorure de potassium à une femme mourante de 92 ans n'est pas inquiété par la justice.

L'intérêt d'une loi serait de fournir un cadre clair pour protéger les malades qui ne demandent rien et auxquels on prescrit des doses létales pour libérer un lit ou parce que leurs souffrances sont jugées insupportables par une équipe épuisée.

– Il faut également que la loi garantisse le droit inaliénable de disposer de sa propre vie. Une société démocratique ne peut pas interdire un acte destiné à protéger la liberté de la personne [1], poursuit Caillavet qui souhaite une reconnaissance juridique du testament de vie.

Il s'agit donc de combler le retard du droit sur les faits, d'aller vers plus de transparence et plus d'égalité. Pourquoi y a-t-il tant d'obstacles à l'adoption d'une nouvelle loi ?

J'ai voulu poser la question à Robert Badinter, l'homme à qui nous devons l'abolition de la peine de mort. Pense-t-il qu'une société qui est contre la peine de mort puisse être pour l'euthanasie ?

---

1. *Ibid.*

Robert Badinter a été franc avec moi. Cette question de l'euthanasie n'a jamais réussi à mobiliser son intérêt. Malgré cela, il a bien voulu me recevoir.

– La seule valeur de la loi dans ce domaine est de proclamer le respect de la vie. Ce qu'il convient de faire face aux souffrances d'un mourant relève du colloque singulier entre le médecin et son patient. La fin de vie est une question bien trop intime, bien trop personnelle pour être confiée à la loi [1].

De toute évidence, Robert Badinter se méfie d'une tendance à vouloir tout légiférer.

– « Il faut être sobre de nouveauté en matière de législation », me dit-il en citant Portalis. La loi donne toujours la tentation de l'utiliser à des fins de détournement. Il y a certains domaines dans lesquels l'éthique est préférable à la loi.

Robert Badinter voit également toute une série de questions qui imposent la prudence en matière législative.

– Qui devra pratiquer l'euthanasie ? Qui appréciera qu'elle est nécessaire ? Où devra-t-elle se pratiquer ?

Y aura-t-il des « agents de l'acte euthanasique [2] », sorte d'euthanatologues chargés de piquer les malades ? En lisant *La Mort opportune*, je n'ai pu empêcher un mouvement de dégoût, un profond malaise de s'installer. Malgré son insistance à propos de la « paix » et de la « douceur » de ces

1. Entretien du 25 mars 1999.
2. Voir Jacques Pohier, *La Mort opportune*, *op. cit.*

morts programmées, il y a quelque chose de froid, de technique, d'inaffectif, dans la façon dont Jacques Pohier embrasse ceux qu'il vient d'« aider », avant de partir comme un voleur et d'aller jeter dans la Seine ampoules et seringues.

Les médecins, pour la plupart, redoutent à juste titre une loi qui leur confiera l'exécution de cet acte. Comment feront-ils pour lutter contre la tentation de la facilité, la lassitude, le découragement, la pression exercée par les familles ? Qu'est-ce qui les protégera contre leurs propres pulsions mortifères ? Quelle confiance les malades pourront-ils leur faire si donner la mort fait partie de leur rôle ?

Même si la clause de conscience est respectée, « combien de médecins se sentiront-ils contraints d'adopter un comportement héroïque, afin de ne pas être accusés de cruauté morale [1] ? ».

Si l'euthanasie devient un jour une des réponses possibles de la fin de vie, « le droit d'exiger le soulagement définitif par médecine interposée fera partie des droits du patient et de ses proches [2] ». Une instrumentalisation que les médecins refusent.

Enfin, où pratiquera-t-on cet acte, surtout si la plupart des médecins sont réticents ? Y aura-t-il des établissements spécialisés, un peu comme dans le

1. Le docteur Bouckenaere, dans *La Libre Belgique* du 1er octobre 1999.

2. *Ibid.*

film *Soleil vert*[1] ? Les soignants des unités de soins palliatifs excluent, pour leur part, que leurs services puissent servir à donner délibérément la mort. « Si nous en arrivons là, je rendrai mon tablier de médecin », affirme le docteur Hervé Mignot[2].

L'éthique préférable à la loi

Plutôt que de changer la loi, sous prétexte qu'elle ne jouerait plus son rôle de garde-fou, qu'elle ne dissuaderait plus les dérapages ni les transgressions – réalité qui n'est sans doute pas aussi répandue qu'on veut le faire croire –, ne faut-il pas plutôt développer la réflexion éthique ?

« On touche ici à la délicate question de la supériorité de la conscience sur la loi, nous rappelle Jean-François Malherbe. Il appartient à la conscience morale individuelle de juger, de discerner dans quelle circonstance, dans quelle condition, l'application de la lettre de la loi s'annonce plus mortifère qu'une transgression qui serait davantage vivifiante[3]. »

Si la loi est nécessaire – en l'occurrence celle qui interdit de tuer autrui est un des fondements mêmes de notre société –, « c'est une prérogative

---

1. Film futuriste de Richard Fleisher (1973) sur un *thanateion*, lieu où l'on vient mourir et choisir le rite selon lequel on souhaite être accompagné.

2. Entretien du 2 avril 1999.

3. J.-F. Malherbe, *Homicide et Compassion*, *op. cit.*

essentielle de notre conscience morale personnelle que de pouvoir décider d'enfreindre la loi, de transgresser un interdit. Une telle infraction est acceptable s'il s'avère qu'elle est pour sûr le moindre mal[1]. » Il peut arriver que tuer… soit plus humanisant que de ne pas le faire, ajoute Jean-François Malherbe qui rappelle par ailleurs que selon lui ce n'est pas la vie qui est sacrée, mais la personne.

Il est donc des situations où la lettre de la loi doit être transgressée au nom de l'esprit. En particulier, en cas d'échec flagrant des soins palliatifs. Mais transgresser exceptionnellement la loi ne dispense pas d'en assumer les risques et la responsabilité. « Il faut prendre le risque de se compromettre en mettant son intention d'agir à l'épreuve de la discussion intersubjective[2] » ou en rendant compte éventuellement de son acte devant un tribunal.

Prendre le risque de rendre compte de son acte est la meilleure garantie contre une banalisation de l'euthanasie. Si un médecin juge en toute conscience, et après avoir tout essayé, après avoir consulté ses collègues et son équipe, que l'issue la moins mauvaise est d'abréger les jours de son patient, s'il est prêt à venir s'en expliquer devant les tribunaux, qui condamnera cette transgression ?

D'un point de vue éthique, ce geste d'abréger les jours de son patient – en cas d'échec patent des soins palliatifs – « ne peut être considéré comme un

---

1. *Ibid.*
2. *Ibid.*

geste meurtrier mais plutôt comme un geste d'humilité qui consiste à ne pas exproprier indûment le mourant de sa propre mort [1] ».

Voilà un discours qui dérange ceux qui voudraient assurer aux médecins une « sécurité juridique » sans se poser la question de l'insécurité qu'une telle loi ferait peser sur les plus vulnérables et les plus faibles.

Le garde-fou que nous propose Jean-François Malherbe n'est pas un changement de la loi mais le développement d'une autonomie morale, d'une réflexion personnelle dans laquelle la solitude et l'incertitude doivent être acceptées comme des dimensions normales de la vie morale. On peut essayer de les limiter – c'est le rôle de l'éthique – mais on ne peut les supprimer.

Une cassette vidéo sur l'éthique protestante face à la question de l'euthanasie [2] montre comment on peut s'éloigner du discours idéologique, dogmatique et passionnel – celui des « pour » ou des « contre » – pour dégager une réflexion intelligente qui tienne compte à la fois de la complexité des situations singulières et des enjeux pour notre société.

On est d'abord un peu surpris de voir un pasteur protestant, adhérent à l'ADMD, déclarer que

---

1. *Ibid.*

2. *L'Euthanasie : pour ou contre ?*, Meromedia, série Éthique protestante.

l'euthanasie devrait faire partie des soins palliatifs. Certes, la culture protestante encourage et valorise au plus haut point l'autodétermination et le respect de la volonté de toute personne saine d'esprit, mais elle n'en est pas moins consciente des dangers qu'il y aurait à confier aux soins palliatifs la mission de donner la mort. Dans quelle crainte les mourants seraient-ils, chaque fois qu'une infirmière s'approcherait d'eux, une seringue à la main ? C'est sans doute pour éviter ce danger que les protestants, pour la plupart, ne sont pas favorables à une légalisation de l'euthanasie. Comme Robert Badinter, comme Jean-François Malherbe, ils pensent que la question doit se résoudre au niveau éthique.

Il ne s'agit donc pas d'éviter la question mais au contraire de la prendre au sérieux. Cosette Odier, aumônière dans un centre de soins continus (Cesco) près de Genève, semble admettre que dans certains cas, quand les personnes continuent à demander la mort parce que leur vie n'a plus de sens à leurs yeux, il peut ne pas y avoir d'autre issue que de la donner. Un geste qui doit rester une transgression « pour qu'ensuite on puisse se donner l'espace pour se demander pardon et réintégrer la personne qui a fait ce geste dans la communauté humaine, pour qu'elle ne se sente pas rejetée ». Mais le plus grave, ajoute-t-elle, « c'est de ne pas en parler ». C'est de banaliser ce geste, « d'en faire un geste thérapeutique comme un autre, alors que c'est un geste qui nous touche très très profondément ».

Il faut donc savoir pardonner à celui qui n'a pas

pu faire autrement que de tuer l'autre pour le soulager. Ne pas exclure, ne pas rejeter, assumer ensemble la difficulté de certaines décisions.

Éric Fuchs, professeur d'éthique à la faculté protestante de Genève, donne une interprétation intéressante de la loi divine « Tu ne tueras pas ». Certes, elle marque une limite absolue : nous n'avons pas le droit d'attenter à la vie d'autrui. Mais la loi nous rend attentif à l'existence de l'autre. Elle dit aussi : « Autrui t'importera. » Ainsi, « prendre soin d'autrui, ça peut aller dans certains cas jusqu'à violer la loi, mais ce sont des cas limites, où au nom de l'exigence de la loi on peut aller contre la lettre de la loi [1] ». Mais n'en prenons pas prétexte pour banaliser l'euthanasie, ce serait une catastrophe, ajoute-t-il. Compréhension et prudence, telle semble être l'approche humaniste de la culture protestante vis-à-vis de l'euthanasie.

Nous sommes à Montréal [2]. Une journée consacrée à l'euthanasie. Une des personnalités les plus éminentes dans le domaine de l'éthique vient de monter à la tribune. Elle parle d'une voix puissante et capte immédiatement son auditoire. David Roy va relever un véritable défi : persuader son auditoire que la légitimité de l'euthanasie n'implique pas la nécessité de la légaliser. « L'acceptabilité de

1. Éric Fuchs dans la cassette vidéo *Euthanasie : pour ou contre ?*, Meromedia, 1, rue Denis-Poisson, Paris.
2. XIe congrès des soins palliatifs à Montréal.

l'euthanasie est une chose. La décriminaliser en est une autre. Je ne crois pas que cette dernière soit sage. Il nous faut être extrêmement prudent, parce qu'il y a tant de complexité, d'ambiguïté, d'incertitude. »

C'est donc l'avis d'un sage que nous allons recevoir.

« Pourquoi ne faut-il pas légaliser l'euthanasie, même s'il y a des situations dans lesquelles elle est éthiquement tolérable ?

« Ceux qui militent en faveur d'une loi sur l'euthanasie rêvent désespérément d'un monde d'hôpitaux parfaits, d'infirmières et de médecins parfaits, de familles idéales. Mais nous ne vivons pas dans un monde idéal de soignants compétents et dévoués, d'institutions au service des personnes et de familles aimantes. Nous vivons dans un monde où l'argent, la rentabilité et le pouvoir dominent. Comment croire qu'une autorisation, même assortie de garanties, ne sera pas vouée à des détournements ? Parce que nous ne vivons pas dans un monde idéal, penser que l'euthanasie pourrait se limiter à l'euthanasie volontaire relève de l'illusion.

« Ma peur, c'est que si l'euthanasie est légalement, socialement, moralement acceptable, les pressions que l'on mettra sur les personnes qui représentent un poids important pour notre société pourraient bien augmenter. Les demandes d'euthanasie pourraient bien ne plus être du tout volontaires, mais être le résultat de pressions de la part d'enfants ou de petits-enfants qui ne voudraient plus avoir leurs parents ou leurs grands-parents à charge.

« Je ne suis pas sûr non plus que nous serons capables de résister à toutes les raisons fortes pour lesquelles on estimera devoir euthanasier ceux qui ne peuvent plus demander la mort eux-mêmes mais dont on estimera, de notre point de vue extérieur, que la vie n'a plus de sens.

« Ce sera vraiment très difficile alors de résister à cette tentation. Je ne dis pas que cela arrivera forcément – je n'en sais rien ! – mais je suis profondément inquiet quand je vois tous ces signes d'insouciance, de manque d'humanité, partout dans le monde, à l'égard des gens vulnérables, brisés, marginalisés.

« Je pense aussi que si nous légalisons l'euthanasie, nous n'investirons plus de temps ni d'énergie ni d'argent dans le développement des soins palliatifs, encore si peu présents dans notre pays. Trop de médecins ne savent toujours pas contrôler la douleur et soulager la détresse. Va-t-on leur donner le droit de tuer leurs patients quand ils ne sauront pas contrôler la douleur ? La compétence en soins palliatifs demande bien davantage qu'un savoir technique, un savoir de communication. Or on sait que ce n'est pas le fort des médecins de communiquer avec leurs patients, surtout s'ils sont mourants. Et, en admettant qu'ils en aient la compétence, en ont-ils le temps ? Un médecin généraliste a-t-il le temps de communiquer avec son patient ?

« Je crois enfin que si notre société décide de ne

pas décriminaliser l'euthanasie, elle peut être assez mûre pour savoir quand cette loi doit ou non être appliquée ou bien quand elle ne doit pas être appliquée avec toute sa force. »

Les craintes de David Roy sont partagées par le docteur Twycross [1] qui me confie, lors d'un récent colloque à Oxford :

– L'autre jour, il y a eu une pression très forte pour faire entrer dans l'hospice un patient dans une grande détresse. Il y avait urgence. Nous étions à la veille du week-end et il y avait deux patients tout à fait en fin de vie. Ils avaient peut-être quelques jours à vivre. Dans un contexte où la loi nous autoriserait à accélérer la fin de nos patients, je sais très bien que j'aurais été fortement tenté de le faire pour libérer un lit et accueillir cet autre patient en attente d'être hospitalisé.

Propos honnête d'un médecin conscient des dérives et des abus qu'une levée de l'interdit de tuer ne manquera pas d'entraîner.

Des patients instrumentalisés

Avant de légiférer, il faut tenir compte de la gravité des enjeux. Il faut penser aux pressions qui s'exerceront sur les malades en fin de vie.

---

1. Robert Twycross, responsable de l'unité de soins palliatifs de Sobell House à Oxford (Grande-Bretagne). Entretien du 17 septembre 1999.

En décembre 1996, « Prime Time Live », la célèbre émission américaine, présente un documentaire néerlandais : *Mort sur demande* qui se voudrait un document convaincant en faveur du respect du droit de choisir sa mort. En fait, le film nous montre surtout les pressions insidieuses exercées sur un homme gravement malade, dont la marge de liberté nous semble bien réduite. Herbert Hendin en donne un commentaire particulièrement saisissant dans son livre *Seduced by Death*[1].

Cees, un homme atteint de la sclérose latérale amyotrophique, a demandé l'euthanasie. Il ne se déplace plus qu'en fauteuil roulant, et ne parle plus qu'avec difficulté. Sa femme Antoinette et lui ont finalement accepté d'être filmés. Le réalisateur a vaincu leurs réticences en faisant valoir que ce film contribuerait à lever le tabou qui pèse sur l'euthanasie. Un des personnages clés du film est le médecin de famille. Un médecin ordinaire, avec une vie de famille normale, et que l'on voit dans sa pratique quotidienne, soigner une petite fille, un bébé, une femme enceinte et finalement euthanasier Cees. Un geste médical parmi d'autres !

Antoinette, l'épouse qui a appelé le docteur, semble déterminée à ce que son mari meure. On la sent dégoûtée par la maladie de son mari. Elle ne le touche jamais, n'a jamais aucun geste d'affection à son égard. C'est elle qui répond à sa place aux

1. Herbert Hendin, *Seduced by Death*, *op. cit.*

questions que pose le médecin. Pourtant, cet homme est encore intelligible, même s'il a du mal à articuler et s'il s'exprime très lentement. Quand Cees commence à pleurer, le docteur fait mine de s'approcher de lui, mais Antoinette l'écarte. « Il vaut mieux le laisser pleurer seul. » Il continue donc à pleurer et elle continue à parler au médecin. À aucun moment celui-ci ne demande à s'entretenir seul à seul avec son patient. Il ne lui demande pas non plus s'il pourrait faire quelque chose pour l'aider à vivre. On nous fait croire qu'il y a un consensus entre les trois personnes, mais il est évident qu'il n'y en a pas. L'euthanasie est décidée entre le médecin et l'épouse.

Tout le long du film, on sent qu'Antoinette est tendue. Elle semble craindre que Cees ne change d'avis et ne refuse la mort. Bien qu'on le sente traversé d'intenses émotions, à aucun moment ni l'épouse ni le médecin ne semblent questionner les sentiments véritables du malade.

La loi oblige le médecin à consulter un confrère. Celui-ci ne cherche pas davantage à rencontrer Cees. Lorsqu'il pose la question rituelle : Êtes-vous sûr de vouloir l'euthanasie ? », c'est Antoinette qui répond. Il y a un léger malaise. Le consultant pose encore quelques questions puis s'en va. La consultation n'a duré que quelques minutes.

Quant au pharmacien qui délivre la drogue létale, un produit pour endormir, un autre pour tuer, ce n'est qu'un acteur de plus dans cette mise en scène savamment orchestrée.

Cees a déjà fixé plusieurs dates. Il semble vouloir reculer l'échéance, mais Antoinette paraît pressée d'en terminer. Finalement, c'est le jour anniversaire de Cees qui est choisi. Le médecin viendra à huit heures le soir. Ils prendront tous ensemble un verre de porto pour célébrer l'événement. Puis le médecin fera l'injection. On voit Cees plaisanter : « Dormir c'est mourir un peu, n'est-ce pas ? Mais cette fois-ci ce sera mourir pour de bon ! » Le docteur essaie de rire. L'épouse se tient à l'écart. Elle trouve que la journée n'en finit pas... On la voit ensuite installer Cees dans son lit. Il ne sentira qu'une toute petite piqûre, lui dit-elle. Le médecin fait l'injection en souriant. Il explique que dans quelques minutes Cees sera plongé dans un sommeil profond. Aucune parole d'adieu n'est prononcée. C'est seulement quand son mari est endormi qu'on voit Antoinette l'embrasser sur le front, puis se retirer avec le médecin dans la pièce d'à côté. Au bout d'un moment, ils reviennent auprès de l'homme endormi. Le médecin lui fait alors une seconde piqûre, celle qui doit le tuer. Bien qu'il reste assis près du lit et que l'épouse et lui tiennent un moment le bras qui a reçu les piqûres mortelles, on reste avec le sentiment que cet homme est mort dans une grande solitude. Antoinette a beau répéter : « Que c'est beau de s'endormir ainsi paisiblement ! Que c'est beau ! Que c'est beau ! », cela laisse un sentiment de malaise ! C'était une mort bien orchestrée, certes, mais le principal intéressé semble en avoir été l'objet et non le sujet. Lui a-t-on demandé ce qui se passait au fond de lui, tandis qu'il pleurait ? Hendin prétend que le réalisateur a coupé la plupart des scènes où l'on voit l'homme pleurer, parce qu'elles auraient perturbé le spectateur !

S'agit-il vraiment d'une « histoire de courage et d'amour » comme l'a annoncé le présentateur de l'émission ? N'est-ce pas là l'histoire d'un homme qui, malgré la relation d'amour qu'il a eue avec sa femme dans le passé, meurt seul ? Dans un extrait de son *Journal*, Cees se demande : « Jusqu'où peut-on demander à sa compagne de se sacrifier ? » Nul doute qu'il a senti combien il pesait lourd sur son entourage. Ce sentiment, a-t-il seulement pu le partager ?

Ce film pose enfin une ultime question : quel rôle le réalisateur a-t-il joué dans la décision d'aller jusqu'au bout de l'euthanasie ? Quelle liberté reste-t-il à un malade qui est ainsi instrumentalisé pour les besoins d'un film ? De l'avis même du réalisateur, Cees a sans doute remis plusieurs fois la date fatale parce qu'il avait du plaisir à rencontrer l'équipe du tournage. Cela n'a rien d'étonnant. On peut imaginer qu'il s'est senti valorisé et qu'il a trouvé l'espace de quelques semaines un sens à son existence. Si le film avait pu s'étaler sur plusieurs années, il aurait sans doute accepté de vivre encore. D'un autre côté, il ne pouvait pas non plus changer d'avis, renoncer à l'euthanasie, sans mettre fin à l'entreprise qui donnait un sens à ses derniers instants.

« Peut-on mourir dans la dignité quand sa propre mort est filmée pour des millions de téléspectateurs ? Quand on est acteur d'un drame qui n'aurait plus lieu d'être si on changeait d'avis [1] ? »

On peut se poser la même question à propos de Sue Rodriguez, atteinte de la SLA, à laquelle Sharon Bartlett a consacré un documentaire réalisé en 1994 [2]. De quelle liberté cette jeune femme a-t-elle vraiment disposé à partir du moment où son désir de « maîtriser son destin » et de choisir le moment de sa mort a fait l'objet d'une récupération politique et médiatique ? Certes, on pourrait dire qu'elle s'est prêtée à cette instrumentalisation, qui par ailleurs lui a donné pendant quelques mois le sentiment d'exister et d'être utile. Ce n'est pas négligeable. Mais le documentaire montre aussi la façon dont les associations pour le droit à une mort digne l'utilisent, allant même jusqu'à faire à sa place des déclarations publiques.

Très vite, on perçoit la façon dont le piège politico-médiatique se referme sur elle. Alors que la maladie évolue, on la voit dans sa vie quotidienne, plus sensible à l'attention et à l'amour que lui porte son entourage qu'à l'enjeu de son combat pour obtenir l'euthanasie. À la question : « Avez-vous vraiment envie de mourir ? », elle répond en

1. Herbert Hendin, *ibid.*
2. Ce document a fait l'objet d'une projection avant le débat télévisé « Mourir dans la dignité », du 10 mars 1999, sur la chaîne Forum, *op. cit.*

souriant : « Non ! je n'en ai pas envie. J'aimerais que rien de tout ceci ne soit arrivé ! Cette forme de sclérose est une maladie épouvantable, mais je l'ai et je vais mourir. J'ai l'intention de vivre aussi longtemps que possible, de profiter de mon fils tant que je le pourrai. »

Le désir de cette femme est de rester communicante et aimante jusqu'au bout, mais, en quelques jours, elle devient célèbre dans tout le Canada, et son nom est le symbole d'un combat pour le droit à la mort digne. A-t-elle encore le droit de vivre jusqu'au bout quand un pays tout entier est suspendu à sa décision de mettre un terme à sa vie ?

La pente glissante

À tous ceux qui s'interrogent sur les dérives et abus qu'engendrerait une dépénalisation de l'euthanasie, je conseille la lecture du livre d'Herbert Hendin, *Seduced by Death*[1]. Un livre choc sur la pratique de l'euthanasie aux Pays-Bas, fruit de l'enquête menée par ce psychiatre américain à la suite de la publication du rapport Remmelink[2].

« Lorsque je suis arrivé pour la première fois dans ce pays, mes confrères néerlandais savaient qu'en dépit de mes réserves je n'avais pas de position

1. Herbert Hendin, *Seduced by Death*, *op. cit.*
2. Enquête sur les pratiques médicales concernant l'euthanasie aux Pays-Bas en 1991. Cette enquête a été réactualisée en 1995 : on l'appelle le rapport Van der Maas.

établie sur ce que devrait être une politique sociale à l'égard du suicide assisté et de l'euthanasie. Ils ont accepté mon incertitude et ont fait preuve de franchise dans leurs discussions avec moi... Les Néerlandais semblaient certains que plus j'en saurais, plus je serais persuadé des vertus de l'euthanasie telle qu'elle est pratiquée aux Pays-Bas. C'est le contraire qui s'est produit. Tout ce que j'ai entendu et vu, tout ce que les avocats de l'euthanasie m'ont raconté, n'a fait que renforcer ma conviction qu'un grand nombre de morts provoquées n'auraient pas dû l'être. L'insistance des Néerlandais à défendre ce qui me semble indéfendable est plus que choquante. »

À l'heure où de nombreux parlementaires, M. Caillavet en tête, voudraient modifier la loi française en s'inspirant du modèle néerlandais, il n'est peut-être pas inutile de mentionner cette critique, pour le moins inquiétante, des pratiques de l'euthanasie dans ce pays.

Alors que l'étude publiée par le gouvernement néerlandais cherche à rassurer ceux qui, dans le monde, hésitent à légiférer par peur d'ouvrir la voie aux abus, Herbert Hendin tire la sonnette d'alarme. « Plus de la moitié des médecins hollandais se sentent libres de suggérer le suicide assisté ou l'euthanasie à leurs patients, sans avoir conscience apparemment de compromettre ainsi le caractère volontaire de leur demande. Soixante pour cent des cas d'euthanasie ne sont pas signalés, ce qui rend tout contrôle impossible. Environ un quart des médecins admettent avoir mis fin à la vie de patients qui n'ont pas donné leur consentement, ce qui, du moins en théorie, est illégal aux Pays-Bas comme partout ailleurs [1]. »

Hendin cite quelques exemples à l'appui de ses affirmations. Notamment celui de cette femme qui, ne voulant plus s'occuper de son mari malade, lui a donné le choix entre l'euthanasie ou l'entrée dans un hospice pour malades chroniques. Terrifié à l'idée de se retrouver livré aux mains d'étrangers, dans un lieu qu'il ne connaissait pas, le mari choisit de recevoir la mort. Le médecin, qui pourtant était conscient de la contrainte exercée sur cet homme, a tout de même mis fin à ses jours.

On lit aussi le cas de cette religieuse dont le médecin a pris l'initiative d'accélérer la mort, « parce qu'elle était dans des souffrances intolérables et qu'il pensait que ses convictions religieuses l'empêcheraient de demander la mort ».

Comme le confirme le docteur Zbigniew Zylicz, un des rares experts en soins palliatifs reconnus aux Pays-Bas, les médecins ont été éduqués à pratiquer l'euthanasie plutôt que les soins palliatifs, et le grand public ne sait pas que d'autres options sont possibles et que le choix ne se réduit pas à souffrir abominablement ou à être euthanasié. « L'option de l'euthanasie est tellement plus facile que c'est

1. Herbert Hendin, *Seduced by Death*, *op. cit.*

devenu difficile de pousser les médecins dans la voie des soins palliatifs », déclare-t-il [1].

Zylicz raconte aussi le cas d'une femme en phase terminale d'un cancer du sein, qui voulait être soulagée de ses douleurs mais a clairement écarté toute idée d'euthanasie. Après avoir ajusté son traitement et l'avoir laissée dans un confort satisfaisant, Zylicz quitte le service et apprend le lendemain que sa patiente est morte. « Un autre médecin avait mis fin, entre-temps, à sa vie, sans son consentement. L'autre médecin a confirmé, en effet, qu'il a agi ainsi parce qu'elle ne mourait pas assez vite et qu'il avait besoin de son lit pour un autre patient. »

Hendin affirme qu'il a recueilli bien d'autres témoignages similaires mais que les médecins ont peur de parler publiquement. La politique gouvernementale aux Pays-Bas est tellement proeuthanasie qu'ils redoutent les conséquences de leurs critiques.

Un des intérêts majeurs de *Seduced by Death* est de montrer que les craintes de dérive exprimées par la plupart des pays qui débattent de l'opportunité de dépénaliser l'euthanasie sont bien justifiées. L'acquittement par trois juges d'un psychiatre ayant pratiqué l'euthanasie sur une femme de cinquante-cinq ans, en bonne santé mais en proie à des souffrances psychiques insupportables, est un exemple

1. *Ibid.*, p. 18.

de la fameuse « pente glissante ». Estimant qu'elle n'était pas déprimée, et qu'une thérapie n'aurait pas de chance d'aboutir, à aucun moment le psychiatre n'a exploré la piste de la culpabilité de cette femme qui avait perdu coup sur coup ses deux fils et souhaitait les rejoindre dans la mort !

On admet ainsi de plus en plus l'euthanasie de personnes souffrant psychiquement, mais en bonne santé physique, de même que l'euthanasie de malades chroniques, pouvant encore vivre des années. Le fait que la demande doit être explicite est de moins en moins respecté.

Ainsi, le rapport Van der Maas révèle que, dans plus de mille cas, les médecins ont hâté la mort de leurs patients à leur insu. Dans 30 % des cas, la raison avancée est l'impossibilité de traiter correctement la douleur. Pour 70 % des cas, les raisons invoquées vont d'un constat de « mauvaise qualité de vie » à la décision d'accélérer une mort « qui tarde à venir, bien que tous les traitements aient été arrêtés ». La commission chargée d'enquêter ne semble pas avoir trouvé ces cas moralement condamnables, estimant que la souffrance de ces patients était devenue « insupportable » et qu'ils seraient morts sans tarder, de toute façon ! Ce mépris du temps qui reste à vivre : « À quoi bon, puisqu'ils vont mourir ? », revient constamment sous la plume de Hendin. Il semble qu'il l'ait souvent entendu dans la bouche de ses interlocuteurs.

Voilà comment notre psychiatre américain raconte la conversation qu'il a eue avec Paul Van der Maas[1], qui a mené l'étude Remmelink. Ce dernier admet que, dans un nombre élevé de cas, les médecins augmentent les doses d'antalgiques dans l'intention d'abréger la vie. Il ne s'agit pas, selon lui, d'euthanasie proprement dite, puisque la mort n'est pas immédiate. Ces cas ne sont donc pas comptabilisés. Hendin lui fait remarquer que, dans ce cas, si le patient n'a pas donné son accord, il s'agit tout de même d'euthanasie involontaire, et que ces cas devraient figurer dans le rapport. « Les statistiques alarmantes de l'étude Remmelink indiquent que, dans des milliers de cas, la décision visant à mettre fin à la vie des patients lucides et capables de s'exprimer a été prise sans consulter ces patients. » Les motifs invoqués par les médecins sont acceptés tels quels, sans faire l'objet d'aucune question. Par exemple, si un médecin justifie sa décision par le fait qu'il a discuté de cette éventualité avec son patient dans le passé, personne ne lui demande pourquoi il n'a pas vérifié si cette demande ne masquait pas un désir d'être simplement soulagé de ses douleurs ou si le patient était toujours dans les mêmes dispositions ! Les médecins auraient-ils peur que le patient ait changé d'avis ?

1. *Ibid.*, p. 92.

Une psychanalyste néerlandaise, le docteur Johanna Groen Prakken, membre de la NVVE[1], se montre inquiète. Trop de médecins, à son avis, ne se rendent pas compte des fluctuations de l'état d'esprit de leurs patients au cours de la maladie. Elle donne l'exemple de son propre oncle, un médecin à la retraite. Profondément déprimé à la suite d'une colostomie, il cesse de manger et lui demande de l'aider à mourir. Elle lui répond qu'il pourra toujours mettre fin à ses jours s'il le désire, mais que l'urgence est de se rétablir. Elle s'arrange pour le transférer dans une clinique un peu plus gaie que l'hôpital. Quelques jours plus tard, lorsqu'elle vient le voir, son oncle est en train de fumer un cigare et ne dit pas un mot sur son désir d'en finir. Deux ans après, son cancer s'est métastasé. Maintenant, son oncle ne veut pas entendre parler d'aide au suicide. Il est même terrifié à l'idée qu'on l'euthanasie sans son consentement. Il a peur que sa famille ne lui donne des pilules pour hâter sa mort afin de toucher son héritage. Ses proches doivent constamment le rassurer sur le désir qu'ils ont de le laisser vivre jusqu'au bout. « Cet homme est donc passé d'un désir d'abréger sa fin à la peur qu'on le prive de la chance de mourir à son heure[2]. »

---

1. NVVE : Association néerlandaise pour l'euthanasie volontaire.
2. Herbert Hendin, *op. cit.*, p. 99.

Cette peur d'être euthanasié à son insu semble plus répandue qu'on ne l'imagine aux Pays-Bas. La même psychanalyste raconte comment sa propre mère, démente, et soignée dans une clinique, lui a demandé de ne pas jeter les violettes qui sont dans sa chambre. « On ne jette pas des choses vivantes, n'est-ce pas ? » a-t-elle ajouté. Johanna Groen Prakken pense que les médecins ne sont pas formés à « entendre » leurs patients. Combien d'entre eux comprendraient le sens d'une telle métaphore ? Combien l'entendraient comme l'expression d'un désir de vivre, même avec des capacités réduites ?

« Pourquoi les Néerlandais minimisent-ils ce qui est l'évidence même : des milliers de personnes sont euthanasiées à leur insu ? » se demande Herbert Hendin. Il est clair pour lui qu'il s'agit de considérations politiques. Si les Néerlandais admettaient ces dérives, l'opposition chrétienne-démocrate en ferait ses choux gras. Il y a sans doute aussi un réflexe chauvin bien compréhensible. Les Pays-Bas sont sauvagement critiqués dans le monde entier pour leur politique de l'euthanasie. Ils font donc bloc et campent sur une position défensive. Cela ne veut pas dire qu'il n'y ait pas de critiques internes, mais la plupart des experts n'expriment leurs doutes et leur inquiétude qu'en privé [1].

Le bilan n'est donc pas rassurant. L'euthanasie, qui à l'origine était présentée comme une solution

1. *Ibid.*, p. 112.

malheureuse mais nécessaire dans un nombre de cas exceptionnels, est « devenue une façon presque routinière de traiter l'angoisse, la dépression et la douleur chez les grands malades et les mourants ». Elle était censée augmenter le pouvoir des patients. Les faits prouvent que c'est le pouvoir des médecins qui a été renforcé. En suggérant l'euthanasie à leurs patients, en ignorant leur ambivalence et en prenant souvent à leur insu la décision de les tuer, les médecins exercent un pouvoir exorbitant. Le cadre légal avec un contrôle *a posteriori* des décisions d'euthanasie n'est pas respecté. Les consultations se limitent la plupart du temps à une formalité : on remplit des formulaires. Aucune alternative, notamment le recours aux soins palliatifs, n'est généralement proposée, et dans la majorité des cas les euthanasies ne sont pas signalées.

Pis encore, un véritable prosélytisme en faveur de l'euthanasie exerce une pression constante. Quand le médecin de famille refuse de pratiquer une euthanasie, il n'est pas rare de voir débarquer au domicile de ceux qui le réclament des équipes mobiles de médecins « euthanatologues » que la presse appelle « les anges de la mort ».

La peur d'être un jour tué à son insu a conduit 60 000 personnes à adhérer à la Dutch Patient Association, une association protestante qui recueille les demandes d'information de gens qui veulent savoir si tel ou tel hôpital est « sûr ». Ils distribuent aussi des « passeports pour la vie » que les patients portent sur eux et qui témoignent de leur volonté, en cas d'urgence médicale, de ne pas être euthanasiés sans leur consentement [1].

Il est urgent de ne pas se hâter

C'est à Hannibal, je crois, qu'on prête ce conseil : « Nous sommes pressés, avançons lentement. »

S'il y a un domaine dans lequel on aimerait que s'applique ce conseil, c'est bien celui de la législation en matière de fin de vie.

Le sénat belge étudie une proposition de loi [2] destinée d'une part à développer les soins palliatifs, d'autre part à dépénaliser l'euthanasie lorsque le médecin est confronté à un « état de nécessité ». Le débat au Sénat promet d'être passionné. L'opposition sociale-chrétienne compte bien partir en guerre pour amender cette proposition qui l'inquiète. La France suivra de près, cela ne fait aucun doute, le déroulement des débats, car si le Parlement français a toujours rejeté toutes les propositions de loi en faveur d'une dépénalisation de l'euthanasie, la pression du grand public se fait de plus en plus forte, et le pressentiment d'Henri

1. *Ibid.*, p. 113.
2. Proposition de loi du 15 novembre 1999.

Caillavet d'être « en avance sur l'orchestre [1] », risque fort d'être juste.

L'exemple belge montre que, malgré la conscience que les parlementaires ont des risques et de la dangerosité d'une loi dépénalisant l'euthanasie, le discours social va de plus en plus dans ce sens. Comme si cette évolution était inéluctable. Les médecins de soins palliatifs que j'ai rencontrés en Belgique, notamment le docteur Marion, responsable d'une unité de soins palliatifs dans la province du Luxembourg, semblent en être convaincus. Ils voudraient seulement que cette dépénalisation n'arrive pas trop tôt, car le risque aujourd'hui est de freiner le développement des soins palliatifs. « Il faudrait encore quelques années pour consolider nos acquis dans ce domaine, et pour continuer à diffuser les soins continus et palliatifs [2] ». Un propos que soutient le docteur Bouckenaere qui demande à ce qu'on ne brûle pas les étapes, et à ce qu'on ne hâte pas les décisions en matière de législation. La gravité du sujet impose une lente maturation des problèmes et de leurs solutions éventuelles : « Le monde médical et soignant n'est actuellement pas prêt à accueillir une dépénalisation de l'euthanasie. Il faut d'abord changer les pratiques médicales en instaurant sur le terrain une culture éthique. Nous ne pensons pas qu'une loi soit capable de régler la clandestinité des

1. Entretien du 25 mars 1999.
2. Entretien du 3 novembre 1999.

pratiques et d'améliorer le dialogue médecin-malade [1]. »

Prendre d'abord le temps de développer les soins d'accompagnement, c'est aussi le choix qu'a fait la France confrontée à la réalité de l'euthanasie clandestine. Après un débat passionnant et émouvant, le Parlement a voté, le 9 juin 1999, à l'unanimité, une loi sur « le droit d'accès pour tous aux soins palliatifs ». Un rapport avait révélé précédemment de graves carences en matière d'accompagnement des malades en fin de vie. Absence de structures dans un grand nombre de régions, absence de formation des médecins et des infirmières, retard dans le soulagement de la douleur.

Nous devons à une volonté politique – « je voudrais que s'invente dans notre pays un environnement particulier du passage vers la mort, un nouveau rituel de la fin de vie, sans dogmatisme, sans certitude, avec humilité et amour [2] » – et sans doute à la sagesse de nos parlementaires d'avoir résisté à la tentation de dépénaliser l'euthanasie et d'avoir donné la priorité à l'amélioration des conditions qui entourent la mort.

Il faut maintenant travailler à ce que ce choix de changer les conditions dans lesquelles on meurt soit suivi et appliqué. Mais personne n'est dupe. Il faudra du temps pour que l'esprit des soins palliatifs pénètre le tissu hospitalier et familial, peut-être des

---

1. Docteur Bouckenaere, *Le Soir*, 5 janvier 2000.
2. Bernard Kouchner, *Le Monde*, 24 septembre 1998.

dizaines d'années. L'avenir dira si ce développement se limite à une généralisation des techniques de traitements de la douleur ou si la dimension humaine aussi est prise en compte.

Car une chose est certaine : la question de l'euthanasie ne sera pas résolue tant que notre société n'aura pas changé de paradigme. La détresse humaine à l'approche de la mort demande plus qu'une maîtrise technique des antalgiques. Elle demande une véritable approche compassionnelle.

« Dans une vie, la mort a droit à sa juste place ; le mourant a droit à la tendresse, à l'amour, à la présence de ses proches, à l'adoucissement et à l'apaisement [1]. » En écrivant ces mots, notre ancien secrétaire d'État à la Santé mesurait-il ce qu'il exige des équipes hospitalières ? Une proximité, une écoute, une présence. C'est exigeant ! Il faut payer de sa personne. Qui y est prêt ?

---

1. Bernard Kouchner, « Quand on est mort, c'est pour la vie », *Libération*, 16 mai 1999.

8.

La permission de mourir

À défaut de changer la loi, nous pourrions travailler à changer notre attitude face à la mort. Je l'ai montré tout au long de ces pages : nous avons si peur de voir mourir les autres que nous préférons prendre les devants. Nous avons si peur de ne pas savoir mourir que nous préférons demander qu'on nous tue.

Changer l'homme plutôt que la loi, voilà le véritable défi à relever. Apprivoiser la mort, lui rendre sa place dans nos vies, apprendre à donner à ceux qui le désirent la permission de mourir. Cela semble simple, et pourtant nous en sommes loin.

La réanimation obligatoire

On croit que le combat contre l'acharnement thérapeutique est gagné, mais les cas de grands vieillards que l'on ranime alors qu'ils sont prêts à mourir sont légion.

Un médecin m'a raconté comment, jeune interne, appelé auprès d'une nonagénaire en pleine tachycardie, il avait paniqué, l'avait allongée par terre, s'était fait apporter un appareil et lui avait fait des décharges électriques. Le corps s'était mis en cintre et, le lendemain matin, elle était morte. Cette expérience l'a fait réfléchir. Il veille maintenant à ne pas utiliser systématiquement la grosse batterie, à prendre l'avis des infirmières qui connaissent mieux les malades.

Je pense aussi à cette femme de 86 ans, prise d'un malaise cardiaque dans la rue, et que l'on dirige vers un service de réanimation. Pendant plusieurs jours, on lui impose une lutte contre la mort dont elle ne veut pas. Littéralement suppliciée, ne pouvant plus parler, attachée dans son lit, avec de multiples tuyaux sortant par tous les orifices du corps, elle ne cesse de jeter des regards désespérés, s'agite. Pour sa famille autour, cela ne fait aucun doute, elle demande qu'on arrache tout cela et qu'on la laisse mourir en paix. A-t-on le droit, sous prétexte de respecter la vie, de faire violence à un vieillard qui souhaite mourir et le manifeste clairement ?

Les médecins se justifient en disant que les limites de la réanimation sont complexes. Leur devoir est de respecter la vie et de lutter contre la mort. Ils oublient que mourir est aussi un acte de la vie. Que signifie le respect de la vie s'il s'exerce au détriment du respect de la personne ?

Lorsque la réanimation se prolonge, on fait porter aux familles une angoisse trop lourde. On sait combien, dans ces cas-là, les proches sont habités de sentiments contradictoires. Tantôt, submergés de chagrin, ils assistent impuissants à cette douloureuse agonie ; tantôt ils souhaitent que ce cauchemar prenne fin et que la personne meure. La culpabilité qu'ils éprouvent ne fait qu'alourdir leur épreuve. Cette lutte contre la mort épuise tout le monde.

Certes, il n'est pas facile de prendre la décision d'arrêter une réanimation ou un traitement. C'est une responsabilité lourde à porter.

Lors d'un débat télévisé [1], le professeur Samii [2] a témoigné avec beaucoup d'humanité de cette douloureuse question de l'arrêt des soins. Bien que sa mission soit de sauver la vie, et non pas de l'arrêter, il arrive qu'il doive le faire.

– Et c'est toujours très dur, avoue-t-il. Mais cela fait partie d'une nouvelle culture de la réanimation, d'une prise de conscience, surtout chez les plus jeunes médecins, que de tenir compte d'éléments humains comme l'émotion, la souffrance des patients, celle des familles, ainsi que le souci d'éviter une non-vie à des patients qui ne peuvent plus avoir une vie de relation.

– Est-ce que vous vous rendez compte de la responsabilité écrasante qui est la vôtre ? Est-ce que

1. France 2 : « D'un monde à l'autre », émission de Paul Amar du 7 septembre 1998.

2. Chef de service d'anesthésie-réanimation au Kremlin-Bicêtre.

vous vous demandez s'il peut y avoir erreur, doute sur le pronostic ? demande Paul Amar.

La certitude absolue n'existe pas, et c'est pourquoi il est si nécessaire que les médecins se forment à la prise de décision éthique.

– Personne dans l'équipe n'aime faire ça. Ce n'est pas quelque chose pour laquelle nous avons choisi ce métier », répond le professeur Samii, insistant sur le fait qu'il s'agit d'une décision pénible mais humaine.

C'est pour cela qu'elle doit être partagée.

– La décision est toujours prise de façon collégiale, jamais de façon précipitée, et toujours avec l'avis de tous, de l'aide-soignant au médecin en charge du malade. Quant à la famille, elle est consultée, mais la décision ne lui appartient pas. Il doit y avoir un consensus. La question est trop grave.

Ainsi la discussion, la prise de décision collégiale permet de diminuer les doutes.

– En fait les doutes sont là, bien plus présents, dit-il, quand nous poursuivons des soins inutiles.

À tort, certains réanimateurs qualifient ces arrêts de soins d'euthanasie. Cela jette la confusion dans les esprits. Il faut vraiment le dire et le répéter : l'arrêt des soins, la désescalade thérapeutique ne peuvent être assimilés à une euthanasie. Il s'agit, en arrêtant un traitement, de permettre à la mort naturelle de reprendre ses droits.

La question de savoir donner la permission de mourir déborde largement le problème de la réanimation. On se demande si l'on peut encore, à notre époque, mourir de « mort naturelle ». Je pense évidemment à ces personnes âgées qu'on nourrit parfois de force en leur mettant une sonde gastrique alors qu'elles voudraient s'en aller et refusent de manger, ou tout simplement aux pneumonies qui permettaient autrefois aux grands vieillards de mourir, et qu'on traite presque systématiquement avec des antibiotiques, sans évaluer si cette décision de prolonger la vie a un sens pour celui que l'on soigne. Une personne âgée a son mot à dire sur les traitements qu'on va lui faire et sur la façon dont elle va mourir. Elle a le droit de dire : « Ça suffit ! » La vie ne mérite-t-elle pas de s'éteindre comme une chandelle ?

Rares sont les médecins qui, comme le professeur Glorion, savent aujourd'hui donner cette permission de mourir.

– Voyez, ma mère est morte de vieillesse à l'âge de 101 ans. Elle a commencé par quitter son fauteuil pour rester au lit. Puis elle a dit qu'elle ne voulait plus manger. Au fond, elle avait tous les signes du syndrome de glissement. On aurait pu la forcer à manger, mais on ne l'a pas fait. Elle n'avait pas envie qu'on la soigne. On l'a donc respectée. Mais on lui a donné tout ce qu'il fallait pour qu'elle ne souffre pas, parce qu'elle commençait à avoir les membres qui se rétractaient. Ma femme et moi, nous sommes restés à côté d'elle et nous l'avons accompagnée. Il faut accepter la mort, quand la personne sent que le moment de s'en aller est arrivé et qu'elle tire les rideaux [1] !

Paroles de sagesse qu'on aimerait entendre plus souvent.

Un jeune homme dont le grand-père, dément depuis deux ans et demi, est hospitalisé tous les deux mois pour un problème infectieux écrit au docteur Ira Byock [2], président de l'Académie américaine de médecine palliative, et lui demande : « Ne serait-il pas plus charitable de mettre fin à ses souffrances ? »

Il faut d'abord se demander en l'occurrence qui souffre ? Est-ce la famille qui ne supporte plus de le voir ainsi, ou le malade ? Est-il angoissé, agité ? Manifeste-t-il sa souffrance ? « Si c'est le cas, alors je suis d'avis qu'il faut lui permettre de mourir. Est-ce qu'on lui procure des soins qui le maintiennent inutilement en vie ? Le nourrit-on par sonde ? Pourquoi traite-t-on systématiquement ses infections ? On pourrait s'abstenir de tout cela et se contenter de donner des soins de confort, afin de laisser la mort venir. »

---

1. Entretien du 29 mars 1999.
2. Docteur Ira Byock, *Dying Well*, New York, River Head Books, 1997, p. 278.

« Il ne s'agit pas ici de provoquer la mort, mais de la permettre, de "l'inviter", poursuit le docteur Byock. La malnutrition et l'infection sont deux façons naturelles de mourir quand on est vieux et affaibli. En laissant faire la nature, on peut rester présent et aimant. »

Mon ami François Blanchard, professeur de gériatrie dans un hôpital de Reims, respecte quant à lui les vieillards qui « tirent les rideaux ». C'est un âge où les corps sont fragiles, usés. Quand les vieillards n'ont plus le désir de vivre, ils meurent assez vite. Ils se laissent glisser doucement et sereinement dans la mort.

Mais, avant de respecter ce désir de mourir, il vérifie toujours, avec son équipe, s'il s'agit d'une dépression et si traiter cette dépression a un sens. Quel serait le sens, en effet, d'un effort médical destiné à faire revivre une personne qui va retourner dans un service de long séjour où on ne se soucie guère de l'aider à vivre ? Les personnes âgées sont parfois dans un tel désert relationnel qu'elles sont déjà presque mortes. Traiter la dépression d'un grand vieillard a-t-il un sens si par ailleurs on ne lui assure pas une vie de qualité ? Il faudrait être créatif, trouver les moyens de préserver la personnalité des vieillards, leur permettre, par exemple, d'avoir leurs propres vêtements, leur confier des responsabilités, comme de mettre la table ou de faire le ménage de leur chambre, au lieu de les décharger de tout. On se plaint de leur infantilisme alors qu'on leur ôte tout moyen d'être utiles !

Avant de se demander si on est dans l'« excès de soins », il faut se demander s'il n'y a pas « défaut de soins ». Cette évaluation n'est pas facile. Il faut connaître la personne, savoir si elle a encore le désir de vivre, si elle en a encore le goût. Il faut donc parler, confronter les points de vue à l'intérieur de l'équipe.

C'est ce que font François et son équipe. La difficulté de leur tâche, lorsqu'ils sont en présence d'un vieillard qui se « laisse glisser », est de faire la différence entre la dépression et la position sereine de celui qui a le sentiment d'avoir fait sa vie et qui a envie de retrouver les siens.

– Cliniquement, ça n'a pas la même tonalité. Chez les uns, il y a une tristesse affreuse, un désespoir, une souffrance morale. Chez les autres, il y a le sentiment tranquille d'avoir fait son temps. La lampe n'a plus d'huile, on est au bout du rouleau, il n'y a plus beaucoup de raisons de vivre. Le vieillard se laisse aller paisiblement [1].

François Blanchard et son équipe alors les accompagnent, veillant seulement à ce qu'ils ne se déshydratent pas et ne souffrent pas. Bien que son service soit un service de court séjour, destiné à soigner les pathologies liées à la vieillesse, François s'est formé aux soins palliatifs et considère que cela fait partie de son rôle de médecin d'accompagner

1. Entretien du 30 mars 1999.

ses patients lorsqu'ils sont arrivés au bout de leur chemin. Ses malades ne « croupissent pas » dans les conditions indignes décrites par Jacques Pohier [1], et ne demandent pas à ce qu'on les aide à mourir. Sans doute parce qu'ils sont correctement soulagés lorsqu'ils souffrent et parce que les soignants savent mieux les accompagner. Il y a plusieurs années, on pouvait être amené à poser un geste d'euthanasie lorsqu'on ne savait pas comment résoudre une situation de détresse.

– Aujourd'hui, grâce aux progrès dans les traitements de la douleur et de l'angoisse, la question ne se pose plus et puis on a appris à communiquer avec les mourants. On sait que lorsqu'on ne peut plus parler, la communication de cœur à cœur est essentielle. Donc les soignants sont moins démunis au chevet des mourants [2].

Les vraies demandes d'euthanasie sont donc exceptionnelles.

– Les malades disent plutôt : « Laissez-moi mourir ! Laissez-moi tranquille ! » Je respecte leur désir. Je leur promets que je ne les enverrai pas en réanimation s'il y a quelque chose de grave, je ne leur ferai pas de perfusion inutile, sauf pour les hydrater s'ils souffrent. Quand je dis ça aux gens, ça les rassure, et ça se passe bien... Car ce qui les angoisse, c'est d'être obligés de survivre dans des conditions inacceptables... Bien sûr, les situations

1. Jacques Pohier, *La Mort opportune*, *op. cit.*
2. Entretien du 30 mars 1999.

difficiles existent, par exemple les patients agressifs, délirants, et qu'on n'arrive pas à soulager avec des antalgiques. Ça nous arrive quelquefois de faire une sédation quand on ne sait plus quoi faire.

Les limites des soins palliatifs

Selon le docteur Camberlein[1], chez 15 000 patients en phase terminale accueillis depuis l'ouverture du service en juin 1987, la plupart des demandes d'euthanasie exprimées par les malades ou leur famille ont disparu au bout d'un certain temps quand la souffrance qui les motivait était reconnue et soulagée. Seulement 15 personnes ont maintenu jusqu'au bout leur demande qu'on mette fin délibérément à leurs jours, soit 1 %. Comment explique-t-il un chiffre aussi bas ?

– Nous avons fait des progrès énormes ces dernières années en matière de traitement de la douleur, et je crois aussi que nous savons mieux accompagner les malades et leurs familles[2], répond-il, persuadé que les bons soins palliatifs sont la solution au problème de l'euthanasie.

Mais que faire du 1 % restant ? Que faire de ces malades dont on ne peut pas soulager les douleurs terminales, ou qui ne peuvent plus supporter

1. Le docteur Yves Camberlein est chef de service de l'unité de soins palliatifs de l'institut Montsouris à Paris.
2. Entretien du 7 mai 1999.

l'attente de la mort et ne savent pas trouver le chemin de l'abandon ? Ils sont rares, semble-t-il, à résister au charme rassurant d'une équipe ou d'une famille qui tissent autour d'eux un linceul fait de tendresse et d'attention pour qu'ils puissent se laisser aller avec confiance. Mais ils existent. On ne sait pas toujours les raisons pour lesquelles ils ne peuvent faire confiance aux autres, et ne peuvent compter que sur eux-mêmes, mais c'est ainsi. Cette situation leur est insupportable, et leur souffrance est d'autant plus dure à vivre qu'elle les isole des autres, ceux qui voudraient bien les aider, mais ne savent plus comment le faire. Car ce qu'ils demandent aux médecins, aux infirmières ou parfois même à leurs proches est impossible à satisfaire. La plupart des soignants ne se reconnaissent pas ce pouvoir-là, même si techniquement ils savent comment faire. Ils sont là pour soigner, pas pour tuer. La situation est donc bloquée. Avec une immense souffrance de part et d'autre, une sorte de rapport de forces. Comment en sortir ? Chacun est libre bien sûr de sortir du service et d'aller demander ailleurs ce qu'il n'obtient pas ici. Bien que cette liberté théorique existe, bien peu l'utilisent. Est-ce par crainte de ne savoir où aller ? Par lassitude, un projet de sortie mobilisant une énergie qu'ils n'ont plus ? Il est arrivé une fois seulement qu'une personne quitte le service pour retourner chez elle afin d'y être euthanasiée.

Cette limite des soins palliatifs doit être pleinement assumée. Les soins palliatifs, l'accompagnement n'ont pas réponse à tout. Alors que faire, face à ce qu'on appelle les « symptômes réfractaires », douleurs rebelles, angoisse majeure, détresse respiratoire, hémorragie grave ou souffrance morale impossible à soulager ? « Aidez-moi... faites quelque chose ! » demande alors le malade. Quelques médecins estiment qu'il est de leur devoir de procurer la mort pour soulager leurs patients, ils pratiquent alors une euthanasie généralement camouflée derrière une prescription massive d'antalgiques ou de sédatifs.

Le sommeil provoqué

D'autres pensent que leur rôle n'est pas de mettre fin à la vie, de supprimer le malade parce qu'ils ne peuvent pas supprimer la souffrance. La seule réponse éthiquement acceptable pour eux est d'endormir la conscience de la personne.

Ce sommeil provoqué [1] a deux avantages pour le docteur Abiven [2]. En plongeant le malade dans le sommeil et l'inconscience, on a toutes les chances d'apaiser son angoisse et la conscience de sa déchéance. D'autre part, ce sommeil n'est pas mortifère. Il peut être variable, ponctuel ou continu. L'action anxiolytique et sédative des

1. Le sommeil est induit par l'administration d'une benzodiazépine sédative ou d'un neuroleptique.

2. Le docteur Maurice Abiven est président d'honneur de la Société française d'accompagnement et de soins palliatifs.

benzodiazépines s'apparente aux cures de sommeil que pratiquaient les psychiatres dans les années 50 à 60. Elle ne tue donc pas. Et si la mort arrive, c'est parce que la maladie continue d'évoluer et que le patient ne lutte plus pour vivre. Le sommeil induit serait comme une « mini-cure de sommeil »[1].

Le docteur Hervé Mignot[2] confirme que deux types de situations conduisent au sommeil provoqué. Le mourant risque une détresse respiratoire ou une hémorragie cataclysmique. Son angoisse anticipative est forte, voire insupportable. Il est impératif de parler avec lui de ses craintes et de le rassurer en mettant dans sa chambre un plateau très discret comportant les médicaments nécessaires pour l'endormir si quelque chose de grave survient. Une telle discussion l'apaise plus qu'elle ne l'angoisse, car il sait que l'on pourra intervenir très rapidement et surtout qu'on restera près de lui, au lieu de se précipiter hors de sa chambre. La deuxième situation concerne les détresses morales ou les grands états d'angoisse de patients qui veulent mourir ou tout du moins dormir « pour ne plus penser ». On peut leur proposer des « rails d'Hypnovel[3] », c'est-à-dire des périodes de sommeil plus ou moins longues (15 à 20 heures par 24 heures). Pendant les heures où le patient émerge

---

1. Maurice Abiven, *Une éthique pour la mort*, Desclée de Brouwer, 1995.
2. Médecin à l'unité des soins palliatifs de l'hôpital Paul-Brousse, Villejuif, entretien du 2 avril 1999.
3. L'Hypnovel est une benzodiazépine.

de son sommeil, on constate souvent qu'il est plus apaisé. La durée et la fréquence de ces « rails » sont décidées avec son accord et en tenant compte de l'évolution de son état. Certains patients demandent parfois à ne plus être réveillés du tout ; d'autres, au contraire, émergent dans un état psychique différent et souhaitent mourir conscients.

Certains laissent entendre que la pratique du sommeil induit est une euthanasie camouflée, une euthanasie lente.

Cette pratique, en effet, comporte un risque, celui d'être prescrite à la légère. Certains services sont ainsi transformés en lieux où règne un silence de mort [1]. Tous les mourants dorment en attendant le sommeil définitif. C'est de toute évidence une solution de facilité. On fait taire la souffrance morale en lui imposant silence, sans s'être donné la peine de s'asseoir, d'écouter et d'essayer de comprendre ce qui se passe réellement.

Comment contrer cette légèreté, réduire autant que possible le flou qui règne autour de la pratique de la sédation ?

Il faut davantage travailler à évaluer la situation des malades. Réfléchir à ce qu'implique le fait d'endormir une personne. Ne va-t-on pas la priver définitivement de la possibilité de communiquer avec son entourage ? Que fait-on lorsqu'on

1. Voir le témoignage rapporté p. 90.

diminue la conscience de quelqu'un ? N'y a-t-il pas un danger de « chosifier » la personne ?

Maurice Abiven propose des repères éthiques [1] pour ce type de décision.

« S'il s'agit de douleurs physiques incontrôlables, s'assurer qu'on a fait un diagnostic précis de la cause des douleurs et qu'aucune thérapeutique n'est parvenue à la soulager correctement. S'il s'agit d'une souffrance morale, s'assurer que le malade a pu en parler, la verbaliser à une personne capable de l'entendre.

« La décision ne doit pas être prise dans l'urgence. Elle doit être prise en accord avec le malade à qui la méthode choisie et son objectif auront été clairement expliqués. Cette prescription devra aussi être bien expliquée à la famille. Elle doit enfin être prise par l'ensemble de l'équipe et faire l'objet d'une prescription écrite et précise quant aux doses et à la durée. »

Il faut revenir, cependant, sur cet argument qui est souvent opposé aux praticiens de soins palliatifs, à propos du sommeil médicalement induit : « Vous faites de l'euthanasie lente ! »

On l'aura compris, cet argument ne tient pas compte des différences entre la pratique du « cocktail lytique » qui vise à « déconnecter » un patient pour le faire mourir, et celle du sommeil induit qui vise à soulager le patient tout en essayant de maintenir une relation avec lui, même si cette relation

---

1. Maurice Abiven, *op. cit.*

n'est plus qu'infraverbale. Il y a bien d'autres façons de communiquer en dehors du langage des mots : les gestes, les regards, les sourires, les larmes.

« Les recherches menées actuellement à propos des comas et des éveils de coma montrent qu'existent des états intermédiaires compatibles avec le maintien d'une activité psychique et de certaines formes de communication [1]. »

Si le sommeil induit est éthiquement acceptable, c'est parce que la personne endormie reste une personne vivante, susceptible de percevoir la présence des autres et d'être sensible à leur contact. Mais cette approche, qui exige une grande proximité avec le mourant et une attention soutenue, est aussi fortement critiquée par bon nombre de familles qui, peut-être parce qu'elles ne savent pas comment communiquer avec cet « endormi », reprochent aux soignants de faire de « l'acharnement relationnel ».

L'acharnement relationnel

Marcel Boisvert, un médecin de soins palliatifs rencontré à Montréal, est le premier à avoir attiré mon attention sur ce piège dans lequel tombent parfois les soignants confrontés à la souffrance d'un patient qui veut mourir. Par crainte de passer à côté

---

1. Patrick Verspieren, « Profondeur et durée du sommeil induit », *Cahiers Laennec*, juin 1993.

du sens, on le cherche là où il n'est pas. Cette quête systématique de sens peut être une forme d'acharnement. Elle fait alors violence au mourant, comme nous allons le voir.

L'histoire qu'il raconte [1] se passe à Montréal. Lorsqu'il fait sa connaissance, Madame F souffre abominablement de ses métastases osseuses. « Si je dois endurer ce mal jusqu'à la fin, je veux une piqûre pour en finir. » Marcel Boisvert passe auprès d'elle le temps qu'il faut. « Trois jours après, avec un peu de morphine, un anti-inflammatoire, de la radiothérapie, et beaucoup, beaucoup d'explications, elle redevient la femme stoïque, joviale, qu'elle a toujours été. Après cinq jours, elle déambule souriante et pratiquement sans douleur. La "piqûre pour en finir" n'était pas une demande d'euthanasie, mais un appel à être soulagée... Puis quelques lésions hépatiques apparaissent. Elle accepte une chimiothérapie, "plus pour ma famille que pour moi". Quatre mois plus tard, elle a perdu quinze kilos. Elle demande à être hospitalisée "pour voir s'il n'y a pas quelque chose à faire pour me donner un peu d'énergie". En secret, elle confie à son médecin que c'est pour donner un peu de repos à sa famille. Elle ne se lève plus sans aide, la lecture ne l'intéresse plus, même la musique qu'elle préfère l'énerve, la fatigue... Elle n'a plus l'énergie de

1. Marcel Boisvert, « Une histoire vraie », revue *Frontières*, printemps 1990, université du Québec, Montréal.

lutter. C'est alors que pour la deuxième fois elle demande qu'on l'aide à mourir. "Docteur, hier soir mon mari est venu. On a parlé longtemps. Je lui ai demandé s'il pouvait comprendre que, même si je l'aime plus que lorsqu'on s'est marié, je voudrais mourir le plus tôt possible... Docteur, quand on est trop faible pour tenir un verre à moitié plein, sans le faire tomber, quand on ne peut pas se tourner un peu dans son lit, sans aide, quand parler est un effort, ce n'est pas ça la vie..." »

Pourquoi Marcel Boisvert n'a-t-il pas saisi cette occasion de poser clairement les limites de ce qu'il pouvait faire ? Comme ce médecin de la banlieue lyonnaise qui me disait récemment : « Lorsqu'un malade me demande de l'aider à mourir, parce qu'il est épuisé et qu'il n'en peut plus de vivre, je m'assois et je lui dis ce que je peux faire et ce que je ne peux pas faire. "Je ne peux pas venir avec une seringue et vous tuer. Mais si vous ne vous supportez plus tel que vous êtes, je peux vous donner quelque chose qui vous fera dormir et vous laissera juste quelques heures d'éveil, chaque jour, pour profiter de la visite de vos enfants. Vous ne tarderez pas à vous éteindre tout doucement, et vos enfants veilleront sur vos derniers instants." » Oui, pourquoi Boisvert est-il tombé dans ce qu'il décrit lui-même comme le piège de l'acharnement moral ? Pourquoi cherche-t-il à tout prix des raisons qui pourraient lui permettre d'attendre la mort ?

– Que faites-vous de l'amour pour votre mari,

pour vos enfants ? demande-t-il à cette femme épuisée.

– Ça demande de l'énergie d'aimer. Mon corps, mon cœur et mon âme sont en mouvement. Comprenez-vous ? répond-elle.

– Si vous ne pouvez plus regarder en avant, est-ce que regarder en arrière, dans votre passé... est-ce que la mémoire de votre amour, de votre long mariage ne vous apporte rien ? insiste-t-il.

– Le passé est peut-être la seule chose qui garde sa valeur, mais je ne peux pas me concentrer toute la journée sur le passé. Ça requiert une énergie que je n'ai plus, continue-t-elle.

– Et votre Dieu dans tout ça ? s'acharne Boisvert.

– Le Dieu auquel je crois ne m'en veut pas de vouloir mettre fin à mes souffrances, dit-elle encore, comme une évidence.

– Je sais que vous êtes une admiratrice de Camus, de sa force intérieure, de son Sisyphe irréductible devant les dieux... Il aurait pu mettre fin à son tourment en se laissant écraser par son rocher. Il ne l'a pas fait. Vous, vous me demandez l'euthanasie... vous n'êtes plus capable de voir dans votre maladie un défi personnel à relever... (long et douloureux silence... de grosses larmes sur chacune de ses joues...), note Boisvert.

– Votre franchise me torture, docteur, mais je l'apprécie. Acceptez ma franchise aussi : si les oncologues pratiquent l'acharnement thérapeutique, vous est-il venu à l'esprit que ce que vous faites avec moi est peut-être de l'acharnement moral ? Vous tenez à tout prix à ce que je trouve un sens à la vie alors que je n'en vois plus... Je suis lucide, il ne me reste que quelques semaines, non pas à vivre mais à souffrir. Pourquoi tenez-vous tant à ce que je souffre ?

Boisvert ne dit pas ce qu'il a répondu. Quelques jours plus tard, sa patiente est transférée en soins palliatifs, avec un essoufflement qui rend son agonie encore plus pénible. Il semble impuissant à la soulager. Pourquoi n'augmente-t-il pas la sédation ? « Il m'est interdit de prescrire des doses dix fois trop grandes. Et même si je le faisais, le pharmacien est obligé de demander des explications et a le droit de ne pas remplir la prescription. » L'agonie de Madame F va donc se prolonger deux semaines sous les yeux révoltés de ses enfants :

– Ça sert à quoi les soins palliatifs si vous refusez de mettre fin aux souffrances de notre mère ? demandent-ils. Est-ce cela mourir dans la dignité : une sonde dans la vessie, une couche pour adulte... Courir après son souffle quand on dort et s'étouffer dans ses crachats dès qu'on se réveille. Ça va durer encore combien de jours, ce martyre-là ?

Si Boisvert s'expose avec autant de franchise dans cet article, c'est parce qu'il est persuadé que les soins palliatifs ne peuvent tout résoudre. Cette impuissance à laquelle il est renvoyé l'insupporte. Il espère que son témoigange contribuera à écorner le tabou sur l'euthanasie. Nous en avons parlé ensemble plusieurs fois, il fait partie de ceux qui pensent qu'une aide active à mourir devrait être une des options offertes par les soins palliatifs.

Il faut dire aussi qu'à l'époque où il écrit cela les soins palliatifs n'ont pas encore exploré toutes les possibilités qui existent aujourd'hui, notamment le sommeil induit, qui permet à l'organisme de lâcher prise et de mourir.

S'il ne faut jamais prendre une demande d'euthanasie au premier degré, sans vérifier qu'il ne s'agit pas d'un appel au secours, d'une situation de détresse, il faut rester réaliste. Toutes ces détresses ne pourront peut-être pas être soulagées. Certains patients ne peuvent pas vivre leur mourir. C'est tout simplement insupportable pour eux.

Lâcher prise

Pourquoi les gens qui veulent mourir ont-ils souvent tant de mal à se laisser mourir ?

La volonté de mourir semble être en soi un obstacle à la mort. On dirait que la mort ne peut « venir nous chercher » si nous sommes en travers de son chemin, armés de notre vouloir, casqués de notre maîtrise. Elle nous veut désirants certes, mais nus et désarmés, prêts à nous abandonner à elle. Alors seulement elle peut venir. Comme si, pour réussir à mourir, il fallait renoncer à toute maîtrise, à tout vouloir. Comme si, pour mourir, il fallait lâcher prise.

Ceux qui veulent mourir là, maintenant, tout de suite, sont comme des amants pressés qui ne savent pas se couler lentement dans l'amour. En demandant qu'on les aide à mourir, ils demandent peut-être simplement qu'on les aide à lâcher prise, à se détendre, à s'abandonner.

C'est le cas de cet homme de 40 ans que nous appellerons Jean [1]. Il souffre d'un cancer des voies respiratoires, il est aveugle à la suite d'une métastase, et son foie est lui aussi atteint. Il est entré dans l'unité des soins palliatifs pour y mourir et s'y prépare en méditant. Il est bouddhiste et se présente d'emblée comme tel. Très distant à l'égard des soignants, il ne leur demande rien, sinon de le laisser méditer en paix. Quelques jours s'écoulent, l'homme est lointain, perdu dans son monde intérieur. Puis, un matin, il demande à Yves Camberlein de passer. Il lui explique que la situation est devenue intolérable. Il est prêt à mourir, mais rien ne vient. Il est comme sœur Anne au sommet de sa tour, guettant la mort, ne voyant rien venir. Insupportable ! Il exige donc avec une certaine solennité qu'on l'aide à mourir, c'est-à-dire qu'on mette fin médicalement à sa vie. C'est son souhait. C'est son droit, dit-il. Le docteur lui explique alors que sa volonté de mourir le met dans une tension telle que la mort ne peut venir. Pourtant la mort est toute

1. Ce cas m'a été rapporté par le docteur Camberlein. Entretien du 7 mai 1999.

proche, de toute évidence. Elle attend peut-être simplement pour arriver qu'il abandonne un peu ses résistances. Il faut donc l'aider à se détendre. Il lui propose alors de le faire dormir avec un somnifère qui a un effet bref et réversible. Il dormira quelques heures et se réveillera sans doute plus détendu, à moins que, profitant de ce lâcher-prise, la mort n'arrive pendant ce temps. Notre homme accepte et le médecin lui injecte 5 mg d'Hypnovel. Il s'endort donc, et se réveille cinq heures plus tard, apaisé. Puis s'endort à nouveau sans qu'il ait été nécessaire de lui injecter une nouvelle dose. Sa famille est près de lui et le veille tendrement comme si elle pressentait que ce sont là d'ultimes moments à partager. Comme l'avait pensé le docteur, la mort n'a pas tardé à venir d'elle-même. Il est mort le lendemain.

Des gens qui auraient observé cette scène de l'extérieur pourraient penser que le médecin a pratiqué une euthanasie. Voilà un malade qui réclame impérieusement qu'on l'aide à mourir, un médecin qui « fait une piqûre », et la mort qui arrive vingt-quatre heures plus tard. Pourtant, il n'en est rien. À aucun moment l'intention de tuer son patient n'était présente dans l'esprit du médecin. Il a été parfaitement clair. Il pouvait soulager son angoisse, lui procurer un sommeil réversible susceptible de le détendre, pour lui permettre de mourir. Le reste ne dépendait pas de lui. Mais sa grande expérience lui a appris que, lorsque la mort rôde, il suffit parfois de permettre à un malade de lâcher prise, de lâcher sa pulsion de maîtrise et de contrôle, pour que son désir de mourir se réalise. Permettre de mourir n'est pas tuer.

Non au paternalisme

Quand les mourants persistent dans leur volonté de mourir prématurément, les médecins sont fortement confrontés dans leur « pouvoir » et tentés par une attitude paternaliste.

– J'estime avoir le pouvoir de m'opposer au retour à domicile d'une personne qui veut rentrer chez elle pour une euthanasie. Je pense que toutes les demandes de mort sont des situations de détresse. La personne n'est donc pas « saine d'esprit ». Je dois la protéger d'elle-même.

Comme je le fais remarquer à ce médecin, qui souhaite garder l'anonymat, il s'agit là d'un paternalisme abusif :

– Qu'est-ce qui nous autorise à empêcher une personne proche de la mort, estimant qu'il est temps pour elle de mourir, de disposer de sa vie ?

Il rétorque alors :

– La loi nous reconnaît le droit de nous ingérer, de sauvegarder l'individu à son insu.

Il y a dans la loi actuelle une incohérence qu'il conviendrait en effet de corriger. Le droit au suicide est reconnu, mais celui qui ne l'empêche pas peut être condamné pour non-assistance à personne en danger. Cela a sans doute un sens lorsqu'il s'agit d'empêcher le suicide d'un adolescent ou même d'un adulte en bonne santé. Mais quand une personne est atteinte d'une maladie mortelle ou qu'elle a atteint un âge très avancé et qu'elle refuse de vivre une lente déchéance, de quel droit nous opposer à sa liberté de mettre fin à ses jours ?

Dans une lettre posée à leur chevet, les époux Quillot [1] avaient demandé qu'on respecte leur geste. Pourquoi a-t-on ranimé Claire Quillot sans tenir compte de sa volonté ? Est-il si difficile pour les médecins de ne pas intervenir, de respecter l'autonomie des patients, même quand elle est dangereuse pour eux ?

Ne pas intervenir

Lors d'une journée de réflexion sur l'euthanasie [2], David Roy, professeur d'éthique, raconte l'échange qu'il a eu avec un médecin désemparé et coupable de ne pas avoir pu empêcher le suicide d'un jeune patient atteint du sida, avec des atteintes graves de son système nerveux central. Voici son récit :

---

1. En juillet 1998, Roger Quillot, ancien ministre, maire de Clermont-Ferrand, et sa femme Claire ont décidé de mettre fin à leurs jours après cinquante ans de mariage. Roger Quillot est décédé, mais sa femme a été réanimée.

2. XIe congrès de soins palliatifs à Montréal, septembre 1996.

« C'est l'époque où l'on ne disposait pas encore des trithérapies. Un jeune homme sait qu'il est en train de se dégrader. Sa maladie ne répond plus à aucun traitement. Il explique donc à ses amis qu'il va organiser une fête pour leur dire au revoir et se suicider, non pas qu'il ne veuille plus vivre, mais il sent qu'il perd la tête, il ne veut pas devenir "gaga". Non ! cela ne colle pas avec sa conception de la dignité. Le docteur veut l'en empêcher. Il me dit : "Il faut l'en empêcher !" Je lui réponds : "Comment allez-vous faire ? Vous allez envoyer la police ? Non ! Vous allez poster une infirmière vingt-quatre heures sur vingt-quatre ? Non ! Vous allez l'envoyer chez un psychiatre ? Non ! Parce qu'il n'est pas mélancolique ni déprimé. Il est sain d'esprit comme vous et moi et peut-être même plus sain d'esprit que vous, qui êtes si angoissé, si agité par cette histoire que vous allez faire quelque chose d'idiot !

« – Alors que puis-je faire ?

« – Vous pouvez aller à la fête ou rester chez vous.

« Le médecin est donc resté chez lui. Et le lendemain, le jeune homme est mort. Il a ingurgité la potion fatale après que ses amis sont partis. Le docteur est venu me voir ensuite. Il se sentait horriblement coupable :

« – Il aurait pu vivre encore un mois !

« – Arrêtez de mettre cette valeur absolue sur la vie biologique ! Est-ce que le corps est plus important que la personne ? Il a agi conformément à sa propre conception de la dignité. Est-ce que vous pouvez le condamner pour ce qu'il a fait ?... Regardez-moi dans les yeux ! Pouvez-vous le condamner ? Moi, je suis sûr d'une chose, je ne pourrais pas. Il y a donc des situations dans lesquelles il nous faut avoir du bon sens, de la compassion et de la compréhension. »

Laisser libre

Prendre au sérieux la demande de mourir d'une personne, cela peut aller jusqu'à la confronter à sa liberté et à sa responsabilité.

Deux exemples me reviennent à l'esprit.

L'unité des soins palliatifs de la Cité universitaire vient tout juste d'ouvrir ses portes [1], lorsque l'équipe accueille une infirmière de 40 ans, en phase terminale d'un cancer. Cette femme a accompagné beaucoup de mourants dans sa carrière. Des agonies longues et douloureuses qui la hantent maintenant qu'elle approche de sa propre mort. Malgré les efforts de ses collègues soignantes, cette jeune femme reste dans une grande anxiété à propos de celle-ci. Elle ne peut pas faire confiance, et très vite réclame qu'on lui pose un cocktail lytique et qu'on l'euthanasie. L'équipe décide alors de soulager son angoisse en lui laissant la liberté de se poser

1. Cette histoire date de 1988.

elle-même une perfusion létale. Cette attitude l'apaise immédiatement. La perfusion est là, en attente dans un coin de la chambre, mais elle ne servira pas. Libérée par le sentiment de conserver son autonomie, la jeune femme s'affaiblit de jour en jour et finit par mourir de sa propre mort, plusieurs semaines plus tard, alors qu'elle somnole dans son fauteuil.

La seconde histoire concerne une femme dont j'ai raconté l'histoire dans *La Mort intime*. Dominique réclame tous les jours la mort, provoquant les médecins et les infirmières dans leur incapacité à la soulager. Lorsque je lui demande ce qui la rattache encore à la vie, elle me parle de sa sœur avec laquelle elle est brouillée. Avec moi, la psychologue, la nécessité de régler cette brouille ancienne prend le relais de la plainte. Mais avec le médecin, elle continue à réclamer la mort et à se plaindre qu'on lui confisque sa liberté de mourir. C'est alors qu'un jour il lui indique le moyen de précipiter sa fin. Il suffit qu'elle arrête de prendre son comprimé anti-arythmique. Son cœur ne tardera pas à fabriquer des caillots et cela pourra entraîner une embolie brutale, et donc la mort. Cette façon de la confronter à sa responsabilité provoque l'effet escompté. Elle continue à prendre le fameux comprimé, et c'est seulement après s'être réconciliée avec sa sœur qu'elle peut enfin mourir.

Il s'agit là de situations exceptionnelles, caractérisées par un véritable rapport de forces. Le fait que le médecin, supposé avoir pouvoir de vie et de mort sur le patient, transfère ce pouvoir au mourant, suffit, semble-t-il, à transformer la situation.

Un jeune homme à qui son ami, en phase avancée de sida, vient de demander de l'aider à organiser son suicide, écrit au docteur Ira Byock[1] : « Que dois-je faire ? Je l'aime et je veux l'aider, mais je ne supporte pas cette idée du suicide. »

« C'est une question bien délicate. Votre malaise est justifié. D'un côté, je trouve merveilleux que votre ami ait suffisamment confiance en vous pour vous parler ouvertement de son désir, et je vous encourage à le laisser vous exprimer ce qu'il sent. Les gens qui songent au suicide éprouvent généralement des sentiments de profond désespoir et d'inutilité. Ils se sentent un fardeau pour leur entourage. En l'aidant à se suicider, vous risquez de renforcer ces sentiments. Essayez de lui montrer qu'il reste précieux à vos yeux. Dites-lui que vous l'aimez et que prendre soin de lui est une tâche que vous voulez assumer. Si votre ami persiste dans sa demande, discutez-en avec lui ouvertement, mais dites-lui qu'il faudra qu'il assume seul la décision et l'acte. Les malades du sida, atteints de maladies opportunistes, n'ont souvent qu'à arrêter leurs traitements antibiotiques. La maladie ne tardera pas à les emporter. Quant au monoxyde de carbone dont

1. Docteur Ira Byock, *op. cit.*

se sert le docteur Kevorkian [1], n'importe qui peut en absorber en respirant le pot d'échappement de n'importe quelle voiture ! Aussi horrible que cela puisse paraître, c'est une façon de mourir qui est à la portée de tout le monde et qui est indolore ! Votre ami peut aussi refuser de manger. Dans l'état où il se trouve, cela m'étonnerait qu'il soit tiraillé par la faim. Refuser de s'alimenter est probablement la façon la plus ordinaire et la plus ancienne de hâter la mort, quand on en a assez de vivre. Vous pouvez ainsi lui permettre de mourir et rester près de lui, en lui témoignant jusqu'au bout votre amour et l'importance qu'il conserve à vos yeux... Il faut que ceux qui nous sont chers sachent que c'est à contre-cœur que nous les accompagnons dans une mort prématurée. »

Donner la force de mourir

Bien des mourants attendent une parole, un geste d'amour qui leur donnent la force et la permission de mourir.

Une jeune femme à demi inconsciente vient de mourir, quelques minutes après que son petit

1. Le docteur Kevorkian, médecin du Michigan, a aidé plus de cent de ses patients à mourir. Son « kit de la mort » comprend un appareil constitué d'une bonbonne de monoxyde de carbone. Le patient se met un masque à gaz sur le visage, inhale et meurt en quelques minutes. Poursuivi à plusieurs reprises, il vient d'être condamné à six ans de prison.

garçon de sept ans a déposé un dessin sur son cœur. Il vient de lui dire qu'il n'oubliera jamais leur promenade du mercredi dans les bois.

Un grand-père dans le coma laisse couler une larme tandis que son petit-fils lui parle à l'oreille et lui dit au revoir.

Marie-Pierre, ma belle-sœur, m'écrit : « Je repense aux derniers instants de mon père. J'ai eu la chance d'être là quand il m'a demandé s'il allait mourir avec tant d'angoisse dans les yeux. Personne n'avait eu le "courage" de lui dire. Je l'ai regardé bien en face en souriant, main dans la main, et je lui ai dit : "Oui, tu vas mourir, mais je suis là, je t'aime, on ne se quittera jamais, l'amour est plus fort que tout et ne nous séparera jamais." J'ai vu mon père se transformer, se redresser même dans son lit et quelle joie dans le regard ! Je l'ai senti libéré d'un coup et prêt à partir… »

Là, tout est dit en peu de mots : la proximité tactile, le courage de la vérité, la confiance dans l'infinitude de l'amour qui donne la paix et la force de mourir.

Johanne de Montigny[1], ma grande amie québécoise, psychologue dans une unité de soins palliatifs

1. Nous avons publié ensemble *L'Amour ultime*, Le Livre de poche, 1993.

à Montréal, me raconte qu'elle a été confrontée bien souvent à des demandes d'en finir de la part de ses patients. Un jour, un homme lui demande en pleurant de l'aider à partir. Cet homme est croyant. Johanne, au creux de son impuissance, lui dit alors ceci: « Si nous pensons tous très fort à vous, si nous prions et implorons ensemble votre délivrance, peut-être qu'à elle seule notre solidarité humaine aura l'effet d'une dose létale. » Et elle poursuit : « Je crois que ce patient a ressenti une forme d'espoir en notre prière universelle, en l'union de nos pensées. Est-ce le fruit de ma propre imagination afin d'apaiser mon sentiment d'impuissance ? je l'ignore encore. Mais le miracle est arrivé ! »

Une voix qui touche, une main qui parle [1] libèrent. On l'oublie trop souvent. Bien des soignants le savent, qui s'assoient au chevet des mourants et leur donnent, avec infiniment de tendresse, cette permission de s'en aller. Il faut beaucoup de présence et d'attention pour sentir venir ce moment. Là encore, il ne peut s'agir d'une recette ni d'une stratégie.

Cette présence sans angoisse, qui communique la paix, les soignants ou même les proches croient pouvoir la donner en étant « gentils » et pleins de sollicitude pour le mourant. Ils ne se rendent pas compte que cette bonne volonté étouffe plus souvent qu'elle ne libère le mourant.

1. L'expression est de Joël Clerget, psychanalyste à Lyon.

Ce ne sont pas les caresses ultimes, par lesquelles l'entourage se déculpabilise et se console, qui apaisent le mourant et lui donnent de l'espace pour mourir, mais une présence qui ne veut rien, n'attend rien, et laisse libre.

Chez l'être humain, le souffle exprime sans cesse l'état d'âme et les émotions profondes. Chez l'agonisant qui lutte contre la mort, on observe généralement une respiration chaotique et bruyante, expression de l'angoisse extrême.

J'ai observé tant de fois, au cours des dix années passées au chevet des mourants, combien le fait d'approcher une personne, en manifestant clairement ma présence sans angoisse, entraînait une modification de son souffle. Dans son extrême solitude, le mourant cherche à vivre un « être ensemble » qui l'apaise. C'est pourquoi il répond à cette présence qui vient vers lui par une synchronisation de son souffle [1]. Cet « être ensemble » dans un souffle qui s'accorde est une expérience particulièrement émouvante lorsqu'on est proche de quelqu'un qui va mourir. Il arrive parfois que, trouvant enfin un peu de paix au milieu du chaos, l'agonisant abandonne la lutte et puisse enfin mourir.

Souvent les gens sont prêts à mourir et le souhaitent, mais le corps s'accroche et lutte pour survivre, car il y a une peur animale de la mort. On assiste

---

1. Voir le chapitre « Souffle et émotion » dans *L'Haptonomie*, de Frans Veldman, PUF, 1999.

alors à des agonies pénibles. Pour lâcher prise, pour s'abandonner avec confiance à la mort, il semble qu'il faille se sentir en sécurité, comme nous l'avons tous été au début de notre vie, portés par le balancement de notre mère, quand nous étions dans son giron.

Notre peau a gardé cette mémoire-là, très ancienne, du plaisir, de la sécurité d'être porté. Une mémoire d'avant la naissance. Ensuite, et en attendant que nous prenions notre autonomie, ce sont des bras d'hommes et de femmes, plus ou moins aimants et tendres, qui nous ont portés. C'est donc une expérience que nous avons tous faite, dans laquelle nous puisons, pour la plupart, la force de nous développer, le courage de vivre, et la capacité de porter les autres à notre tour. La tendresse, l'attention, le soin que nous prenons les uns des autres s'enracinent dans ces tout premiers moments de notre vie.

À l'autre extrémité, la maladie ou la grande vieillesse nous ramènent sur ces premiers rivages de la dépendance. Nous perdons nos forces, celles de notre corps qu'il nous faut confier aux mains des autres, mais parfois aussi celles de notre esprit. Nous ne maîtrisons plus nos émotions qui débordent de toutes parts. L'angoisse nous étreint. Ce sont les affres de l'agonie. Il faudrait lâcher prise, se confier, s'ouvrir pour laisser passer ce qui est trop lourd à porter. C'est cette « déhiscence » de l'être [1]

1. En botanique, le terme *déhiscent* décrit « des organes clos qui s'ouvrent d'eux-mêmes pour livrer passage à leur contenu ». Il a

que nos mourants ne peuvent pas vivre. Faute d'avoir près d'eux un humain capable d'éponger leur angoisse et d'accueillir leur âme inquiète.

Une maison silencieuse dans les bois. Tout est dans la brume. Une femme meurt et son fils l'accompagne. L'homme est jeune et solide. Le voilà qui soulève le corps si frêle et décharné de sa mère, et le porte dans ses bras robustes. Elle, affaiblie à l'extrême, s'abandonne. On voit son visage creusé qui s'éclaire d'une lumière très douce, qui vient de l'intérieur. Un bien-être, assurément, celui de se sentir ainsi portée contre le corps puissant et plein de vie du fils qu'elle a mis au monde autrefois. On sent ce plaisir intime de l'abandon. Portant sa mère, légère et lourde à la fois, le jeune homme sort sous les arbres au creux desquels est nichée la maison. Il s'est arrêté. Elle a levé les yeux vers leur frondaison. Voir les feuilles des arbres avant de mourir ! Quelle infirmière un peu attentive n'a entendu ce vœu de la bouche d'un malade agonisant entre les quatre murs d'une chambre d'hôpital ! Maintenant, l'homme suit un petit chemin creux qui serpente dans la campagne. Il s'arrête souvent à ce qui semble être les stations imaginaires d'un chemin de croix personnel. Ou alors les étapes d'une sorte de rite d'adieu à la nature. Le voilà qui pose doucement sa mère sur

été repris en philosophie dans l'expression « déhiscence de l'être ».

l'herbe du bas-côté et approche une fleur de son visage. Plus loin, c'est contre un arbre qu'il la laisse s'appuyer de tout son corps. La joue posée contre le tronc, elle semble écouter la vie. Le chemin continue, le regard se pose délicatement une dernière fois sur les champs embrumés, le ciel humide, l'eau d'un étang dans le lointain. Il fait plus sombre tout à coup, et l'on comprend que l'heure est proche. L'homme ramène alors sa mère dans la maison. Un grand lit carré l'attend, sur lequel il la dépose. Mais, avant de l'allonger, il s'agenouille sur le lit, dans la pénombre, et s'installe tout contre sa mère. Il ne la serre pas contre lui, l'étouffant d'un geste désespéré, comme on le voit faire si souvent en pareille circonstance. Non ! il vient plutôt se mettre derrière elle, pour lui offrir son torse comme un ultime appui, et il l'entoure tendrement de ses bras. Il est là pour lui donner la force de mourir, pas pour la retenir. Ainsi, elle se sent soutenue tout en restant libre. Son visage n'est pas enfoui dans une étreinte qui la tiendrait attachée. Il est tourné vers l'avenir. Vers cette obscurité douce qui descend dans la chambre.

Le moment de la séparation est venu. Le jeune homme allonge sa mère au mitan du lit, mains jointes, et dépose un léger baiser sur son front. Il sort, le dos un peu voûté, marcher sur le chemin. Il l'a accompagnée jusqu'au seuil, jusqu'à l'extrême limite. Au-delà, chacun doit franchir seul le passage, il le sait. Elle, repose sereine, les mains toujours jointes. Un papillon est venu se poser sur l'un de ses doigts. Il bat faiblement des ailes, au rythme de son souffle qui s'épuise. On dirait qu'il l'accompagne, puis il s'envole.

Certains auront peut-être reconnu les images du film d'Alexandre Sokourov, *Mère et fils*[1].

Quand les mots ne peuvent plus rien, que le silence s'impose, seuls une présence tranquille, des gestes juste inspirés par la compassion peuvent encore donner la force de mourir. Ceux qui aiment savent inventer ces petits rites de séparation qui donnent un sens aux derniers instants et permettent de mourir.

Un ami médecin me demande de l'accompagner au chevet de sa nièce, une jeune femme qui se meurt d'un cancer du foie, chez elle, dans un petit studio. Elle voudrait me rencontrer, dit-il. Lucide sur son état, prête à mourir – n'a-t-elle pas organisé ses obsèques dans le détail ? –, elle demande qu'on l'aide à mourir. Qu'on fasse « quelque chose » pour en finir. Il ne sait pas quoi faire devant ce qu'il entend comme une demande d'euthanasie. Ses douleurs sont soulagées, elle est entourée par sa famille, que demande-t-elle au juste ?

« Tu sais, quelquefois c'est juste une façon de prévenir qu'on va mourir ! » lui ai-je répondu, tout en promettant de l'accompagner le lendemain chez elle. En effet, j'ai souvent observé qu'après l'avoir demandée les mourants se laissent glisser dans la

1. Diffusé en France en février 1998.

mort. Comme si cette demande était une façon d'appeler la mort devant témoin.

Curieusement, l'état de la jeune femme s'est aggravé brusquement dans la nuit. Quand nous arrivons, le lendemain, elle a plongé dans un coma hépatique léger. Elle ne peut plus soutenir un échange verbal, mais elle comprend ce qu'on lui dit et elle réagit. Elle est couchée sur un divan, soutenue par une multitude de petits coussins. Elle est agitée, son visage est traversé de grimaces d'inconfort. Il y a autour d'elle sa famille, sa sœur, ses parents, une amie. Tous semblent bouleversés et impuissants à la soulager. Ils sont pleins de sollicitude, surveillent chacun de ses mouvements, se lèvent à tour de rôle pour déplacer un coussin, ou l'aider à changer de position. Le ballet est incessant, l'atmosphère irrespirable. A-t-elle mal ? Non, répond-elle. Pourtant, manifestement, elle n'est pas bien, son agitation anxieuse le montre. De temps à autre, on entend comme un gémissement : « Aidez-moi ! » Chacun se sent impuissant, et moi la première. J'essaie alors d'imaginer ce que je ferais si j'étais proche de cette jeune femme, si j'étais sa sœur, par exemple. Je me vois monter sur le divan, m'allonger et la prendre contre moi, comme dans le film de Sokourov. Mais je ne suis pas sa sœur, et je ne me sens pas autorisée à prendre cette place. Je vais donc aider sa sœur à oser cette proximité. Je l'ai observée, elle se tient assise à la tête du divan, elle se lève souvent quand sa sœur gémit. Ses gestes traduisent sa bonté, son désir de la soulager.

– Pourquoi ne vous allongeriez-vous pas sur le divan ? Votre sœur pourrait s'endormir contre vous ? Après tout, c'est comme ça que les petits enfants agités s'endorment apaisés. Vous pourriez essayer.

Elle y avait pensé, m'a-t-elle dit, mais elle n'osait pas, comme ça devant tout le monde ! Elle se glisse donc sur le divan, contre le mur, et sa sœur vient d'elle-même chercher le contact dont elle avait besoin. Nous la voyons s'endormir cinq minutes plus tard, la tête au creux de l'épaule fraternelle, le dos lové contre un corps chaud, paisible. Tout le monde se met à respirer. J'ai appris qu'elle était morte le lendemain matin dans son sommeil.

Et si ceux qui nous demandent de les « aider à mourir » nous demandaient en fait cette proximité, ce contact qui permet de s'abandonner en toute sécurité ?

C'est ce contact chaud et sécurisant que nous ne savons pas donner à ceux qui meurent. Un contact qui ne retient pas, mais qui libère. Car la proximité est bannie des hôpitaux aseptisés. Et si l'on touche un corps, c'est comme un objet. Pas question de chaleur humaine !

S'il y a si peu de demandes d'euthanasie dans les unités de soins palliatifs, ce n'est pas seulement parce que la douleur y est mieux soulagée et qu'on sait mieux accompagner les mourants, c'est aussi parce qu'on a le droit d'y mourir. Le désir d'en finir et l'angoisse devant la mort ne sont pas rejetés mais accueillis par les soignants comme des expériences propres à la fin de vie. C'est cet espace psychologique – oui, je peux montrer ma tristesse, ma colère, mon ras-le-bol, je peux manifester mon angoisse sans faire fuir mon entourage –, c'est cette liberté d'être soi au seuil de la mort qui permet d'aller jusqu'au bout et de mourir de sa propre mort.

Conclusion

Savoir mourir

Dans un discours social qui met en avant le droit de choisir sa mort et de demander l'euthanasie aux médecins, il n'y a guère de place pour une réflexion sur ce que j'appelle ici le « savoir mourir ». Comment rompre les amarres, quand le temps est venu ?

– Il faut d'abord se déprendre de soi-même, dit Robert Badinter [1], se détacher... C'est toute une politique de fin de vie !

Cette « politique » de fin de vie, véritable travail de détachement, qui permet de larguer les amarres quand le temps est venu, Christopher, mon mari, m'en a fait un jour le récit. Un récit surprenant.

Max, sa mère, vient tout juste d'avoir 84 ans quand elle réalise brusquement que sa vie est finie. C'est un vendredi. Elle revient du marché de Saint-Tropez et pose son cabas par terre, et l'évidence

1. Entretien du 25 mars 1999.

s'impose. Elle ne le déballera pas. Quelque chose vient de se produire en elle : une certitude d'être arrivée au bout du chemin, une soudaine et tranquille acceptation de sa mort.

Max est une femme peu ordinaire, une personnalité indépendante, volontaire, têtue. Une vraie Irlandaise. Elle a choisi de vivre les dernières années de sa vie dans un mobile-home d'un camping de la presqu'île de Saint-Tropez. Une façon de vivre autonome, dans un espace suffisamment petit pour ne pas être trop lourd à entretenir, entourée par les voisins, des gens pleins de cœur. Christopher descend régulièrement de Paris pour la voir. Il passe deux, trois jours, jamais plus, parce qu'elle devient vite insupportable. Elle a l'habitude de vivre seule et veille jalousement sur cette liberté. C'est un trait dominant de son caractère. Pour rien au monde elle ne voudrait vivre chez lui, et encore moins dans une maison de retraite.

Cette vie simple, autonome, relativement solitaire, proche de la nature, presque ascétique tant elle s'est débarrassée des choses qui l'encombraient, lui convient. Une fois par semaine, elle se rend avec son chien, dans sa 4 L orange, au marché de Saint-Tropez. Pour y acheter du pain, du fromage, et quelques légumes. Pour saluer quelques têtes connues. Elle a tout de même vécu une bonne partie de sa vie dans une ferme au pied du village de Gassin, passionnée d'agriculture biologique, appliquant à la culture de ses vignes les principes de Rudolph Steiner. Bref, on la connaît, on la respecte.

Ce vendredi-là donc, Max décide de se coucher et d'attendre « que la mort vienne la chercher ». Quand Christopher lui téléphone, ce soir-là, elle lui annonce qu'elle est prête à mourir. Il s'inquiète, cherche à comprendre. Ce n'est pas qu'elle ne veut plus vivre, mais sa vie est finie. Elle est comme rassasiée de jours. Il est temps qu'elle s'en aille. Elle dit cela très sérieusement, très sereinement, sans tristesse. À quoi le sent-elle ? demande-t-il. Une infinité de petits signes. La vie la quitte. Tout a commencé avec la mort de son chien, empoisonné par des chasseurs. Max en a été très affectée. Puis, quelques jours plus tard, alors qu'elle était partie dans les bois pour ramasser des branches, elle n'a pas su retrouver sa voiture. Elle s'est perdue. Un automobiliste l'a ramassée, errant sur le bord de la route et l'a ramenée au camping. Christopher a pensé, à l'époque, qu'il était peut-être temps d'abandonner la voiture, et d'arrêter de conduire. C'était peut-être un signe, cette aventure ! Il semble que cette décision de ne plus conduire l'ait soulagée. Et puis, à cette même période, elle s'est plainte de perdre la mémoire. Des pans entiers de sa vie se sont évanouis. Toutes ces choses qui la quittaient peu à peu, son chien, sa voiture, sa mémoire, c'était troublant. A-t-elle pensé qu'elle faisait un début d'Alzheimer ? C'est possible. Elle est si lucide.

– Voilà, j'ai fait mon temps, j'ai fait ce que j'avais à faire, je suis prête à aller « ailleurs », dit-elle à son fils qui sent d'emblée qu'elle parle sérieusement.

Y a-t-il un élément de dépression dans cette détermination à attendre que la mort vienne la chercher ? Comment ne pas se poser la question ? Peut-être se sent-elle inutile ? ou trop seule ? Peut-être a-t-elle peur de devenir une charge pour lui ? Toutes ces questions, il les lui pose. C'est vrai qu'elle ne se sent plus à proprement parler « utile ».

– Tu sais bien que l'on est utile par ce que l'on « est », pas par ce que l'on fait, lui dit-il, cherchant à la rassurer.

Mais la véritable raison pour laquelle elle a décidé de se coucher et de cesser de s'alimenter, c'est qu'elle veut mourir consciente, chez elle, d'une mort lucide et acceptée. Tant qu'elle peut encore maîtriser son destin. Peut-être sent-elle les signes d'une déchéance rapide ? Peut-être s'est-elle imaginée dans un lit d'hôpital, soignée et nourrie contre sa volonté ? « Pourquoi faudrait-il attendre d'avoir une maladie pour mourir ? » a-t-elle demandé.

Christophe connaît sa mère. Quand elle a décidé quelque chose, rien ni personne ne peut la faire changer d'avis. C'est une forte tête. Il ne cherche donc pas à la dissuader. Il lui fait seulement promettre une chose : de boire. Qu'elle cesse de manger, soit ! Mais il ne veut pas qu'elle se déshydrate. Quelques jours passent.

Quand il s'aperçoit qu'elle ne revient pas sur sa décision, Christopher fait le tour des voisins dans le camping. Il prend alors la peine de leur expliquer la volonté de sa mère. Il leur demande de la respecter, de ne pas chercher à la faire hospitaliser de force. Elle ne le supporterait pas. Ce serait une violence inutile. Il est sûr que, si elle se retrouvait à l'hôpital, elle chercherait à mettre violemment fin à ses jours. Convaincre les voisins n'est pas facile. Ils ont le sentiment qu'on leur demande d'accepter un suicide lent. C'en est sans doute un, mais c'est son choix, et il importe de le respecter.

Il lui faut ensuite trouver un médecin qui accepte de venir la voir et de veiller à ce qu'elle ne souffre pas. C'est une femme. Christopher lui signe une décharge. Puis il va trouver un couple d'infirmiers et leur demande de passer la voir tous les jours pour lui donner les soins nécessaires. Il les prévient qu'elle va probablement les jeter dehors, c'est d'ailleurs ce qu'elle fait la première fois, mais ils sont revenus, et elle finit par accepter leur aide. Dès qu'elle commence à s'affaiblir sérieusement, ils viennent tous les jours pour lui faire sa toilette. Elle ne souffre pas.

Christopher descend toutes les semaines pour la voir. Ils parlent beaucoup, de mille choses légères et profondes. Elle attend calmement que la mort vienne la chercher, c'est ainsi qu'elle dit la chose. Une seule fois, la tentation de manger une pomme l'effleure, mais elle tient bon.

Un jour, tout à fait sur la fin, un médecin qui visitait un autre malade dans le camping a vent de l'histoire. Il veut s'en mêler. « Vous risquez gros ! » dit-il, en menaçant le propriétaire du camping de le dénoncer pour non-assistance à personne en danger !

Les voisins, paraît-il, l'ont chassé du camping. Ils ont fait bloc pour défendre la liberté de Max. La véritable humanité, pour eux, c'était respecter la liberté de cette vieille femme mourante et non pas l'hospitaliser contre son gré.

Elle n'aurait pas supporté une hospitalisation, tout le monde en était bien persuadé. On l'aurait intubée pour lui passer une sonde gastrique et la nourrir de force. Elle aurait tout arraché, et finalement serait morte dans la révolte et la violence. Mieux valait respecter les choses telles qu'elle les voulait.

Une chose est sûre, cela s'est bien passé. Pas de douleurs, pas de complications. Juste une vie qui s'est éteinte doucement, et lentement. « Trop lentement, disait-elle. Deux mois pour mourir, c'est long ! » C'est arrivé enfin, un matin, presque par surprise, dans les bras de ses voisins.

L'histoire de Max impressionne fortement ceux à qui je la raconte. Parce qu'elle est inclassable. On ne peut pas parler d'euthanasie, ni même de suicide assisté. Comme dans *La Balade de Narayama*[1], une vieille femme marche résolument vers la mort, parce que le temps est venu de partir et de laisser la place aux autres. Autour d'elle, seulement des gens qui l'accompagnent et respectent son choix, des

1. Film de Shohei Imamura.

gens qui lui donnent ce qu'on sait si peu donner à ceux qui meurent, la permission de mourir.

– À quoi passes-tu tes journées ? lui demande Christopher.

– *Loving, I suppose*[1] ! répond-elle dans un sourire.

1. « À aimer, sans doute ! »

Je tiens à remercier tous ceux qui ont accepté de m'aider à écrire ce livre, de me rencontrer et de répondre avec une très grande sincérité aux différentes questions que j'ai pu leur poser au cours de l'entretien qu'ils m'ont accordé. M. Robert Badinter, le docteur Jean Bégoin, M. Bernard Besret, le professeur François Blanchard, le sénateur Henri Caillavet, le docteur Yves Camberlein, M. Arnaud Desjardins, le docteur Catherine Dolto-Tolitch, le docteur Xavier Emmanuelli, le professeur Glorion, Mme Françoise Giroud, Mme Marie-Gabrielle Hentgen, M. Stéphane Hessel, le docteur Bernard Lapointe, Mlle Christine Malèvre, le professeur Vincent Meininger, le docteur Hervé Mignot, Mme Johanne de Montigny, M. Hubert Reeves, M. Jean-Louis Terrangle, le professeur Robert Twycross, M. Frans Veldman, Mme Hénia Ziev ;

ainsi que tous ceux qui ont souhaité garder l'anonymat, dont les témoignages m'ont été précieux...

Sans oublier Antoine Audouard pour son soutien indéfectible et ses précieux conseils, et tous mes proches, toujours si confiants.

Table

Avant-propos 11

Une histoire parmi d'autres 13

1. L'iceberg euthanasie 27

2. La mort volée 43

3. Une ultime tentative de communication ... 95

4. Le droit de choisir sa mort 123

5. Christine Malèvre 177

6. Vraie ou fausse compassion ? 199

7. Faut-il une loi sur l'euthanasie ? 223

8. La permission de mourir 255

Conclusion : Savoir mourir 295

Remerciements 303

"Penser la mort"

(Pocket n° 10505)

Dans notre société laïque, la mort s'est imposée depuis longtemps comme un sujet tabou. À partir de postulats simples, Marie de Hennezel et Jean-Yves Leloup s'interrogent sur sa perception. Comment aider un mourant ? Comment supporter la mort d'un proche ? Comment s'y préparer soi-même ? Pour faire face à cette réalité, les deux auteurs prônent la spiritualité, et ceci quelles que soient nos croyances. Un ouvrage clair sur un thème difficile à aborder.

Il y a toujours un Pocket à découvrir

Impression réalisée par

52340 – La Flèche (Sarthe), le 29-05-2009
Dépôt légal : janvier 2002
Suite du premier tirage : juillet 2009

POCKET – 12, avenue d'Italie - 75627 Paris cedex 13

Imprimé en France